Direction éditoriale : Anne Bideault
Conception graphique : Delphine Renon

© Bayard Editions Jeunesse, 2002
3, rue Bayard, 75008 Paris
Tous droits réservés. Reproduction même partielle interdite.

ISBN 2 7470 0566 6
Dépôt légal : octobre 2002
Troisième tirage : mai 2006

Loi 49-956 du 16 juillet 1949 sur les publications destinées à la jeunesse

Impression et reliure : *Partenaires Book®*
Photogravure : Color'Way
Imprimé en France

Le grand livre des fêtes

Anne et Sylvain Gasser ● Christophe Merlin

BAYARD JEUNESSE

C'est la fête !

Dans une semaine, Noël ! Demain, Halloween !
Ce soir, la Chandeleur ! Et bientôt, mon anniversaire...
Quand une fête approche, quelle impatience !
Parce qu'un jour de fête, c'est un jour pas comme les autres :
on s'habille différemment, on mange des choses inhabituelles,
on est nombreux autour de la table ou dans la rue, on danse,
on se couche plus tard, bref, on s'éclate.
Sans fête, la vie serait moins drôle !

Oui, c'est bon de faire la fête, mais toutes ne se ressemblent pas.
Certaines se passent à la maison en famille,
d'autres à l'école ou dans toute la ville,
d'autres encore à l'église, à la synagogue ou à la mosquée.
Il y a des fêtes joyeuses et bruyantes, comme le 14 Juillet avec ses pétards
ou la Fête de la musique avec ses concerts improvisés.
D'autres sont plus calmes ou plus recueillies :
c'est le cas du 11 Novembre ou de la Toussaint.

Dans ce livre, tu découvriras l'histoire de chaque fête, saison après saison.
Tu découvriras également que derrière ces traditions se cache toujours
un événement important. Il concerne le plus souvent la religion,
mais aussi l'histoire du pays ou tout simplement
ton histoire personnelle. Ce livre t'invite
à en découvrir le sens profond.

HIVER

NoëL 25 décembre

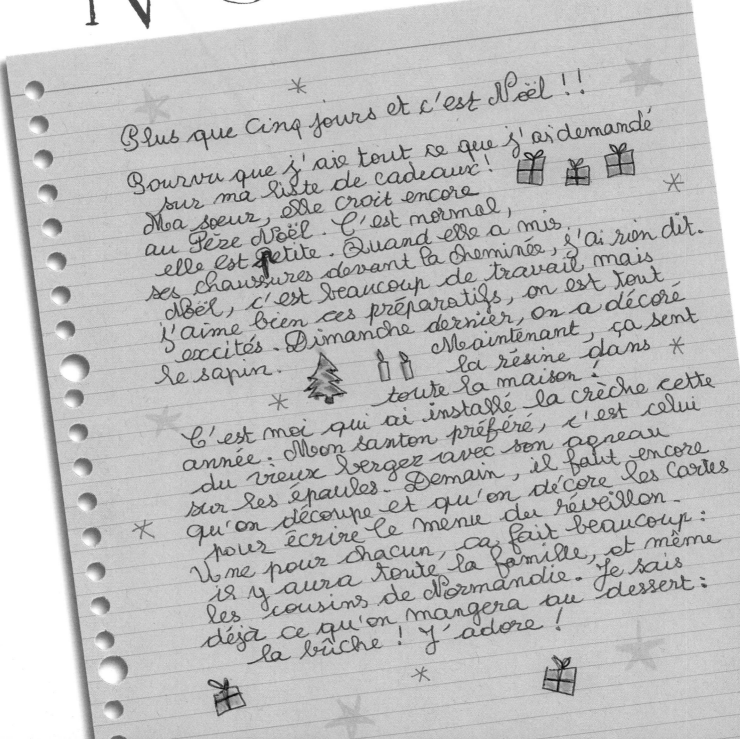

Plus que cinq jours et c'est Noël !!

Pourvu que j'aie tout ce que j'ai demandé sur ma liste de cadeaux !

Ma sœur, elle croit encore au Père Noël. C'est normal, elle est petite. Quand elle a mis ses chaussures devant la cheminée, j'ai rien dit. Noël, c'est beaucoup de travail mais j'aime bien ces préparatifs, on est tout exccités. Dimanche dernier, on a décoré le sapin. Maintenant, ça sent la résine dans toute la maison !

C'est moi qui ai installé la crèche cette année. Mon santon préféré, c'est celui du vieux berger avec son agneau sur les épaules. Demain, il faut encore qu'on découpe et qu'on décore les cartes pour écrire le menu du réveillon. Une pour chacun, ça fait beaucoup : il y aura toute la famille, et même les cousins de Normandie. Je sais déjà ce qu'on mangera au dessert : la bûche ! J'adore !

UNE DATE CHOISIE AU HASARD ?

Le 25 décembre, les chrétiens fêtent la naissance de Jésus, qu'ils considèrent comme le fils de Dieu. Pourtant, dans la partie de la Bible qui raconte sa vie, il n'est pas précisé à quel moment de l'année est né Jésus. Pourquoi a-t-on choisi le 25 décembre et pas le 10 août, par exemple ?

C'EST L'HIVER

Qu'il est triste, ce long mois de décembre ! Et froid. Et sombre. Le soleil se lève tard, se couche tôt. Il fait nuit quand on part à l'école, il fait nuit quand on en revient. Heureusement, le 21 décembre, l'espoir semble renaître. C'est le solstice d'hiver : les jours commencent tout doucement à s'allonger. Curieuse coïncidence, c'est au moment même où le soleil renaît que les chrétiens célèbrent Noël, la naissance de Jésus Christ.

Bible

Dans la Bible, quatre évangélistes, Matthieu, Marc, Luc et Jean, rapportent, dans leur récit qu'on appelle un évangile (en grec, cela veut dire « bonne nouvelle »), la vie et le message de Jésus. Pour les chrétiens, Jésus est le fils de Dieu. Dans la Bible, on parle rarement du jour de naissance d'une personne. Seuls les grands hommes païens y ont droit, comme Pharaon, roi d'Égypte, ou Hérode. On trouve le récit de la naissance de Jésus dans les évangiles de Luc et de Matthieu, mais les auteurs n'entrent pas dans les détails.

Solstice

En hiver, dans les pays de l'hémisphère Nord, le solstice correspond à la nuit la plus longue de l'année. Après le 21 décembre, les jours s'allongent. Le solstice d'été, le 21 juin, marque le jour le plus long. Le soleil commence alors à décliner. Dans l'hémisphère Sud, c'est exactement le contraire. En Australie, on fête Noël en maillot de bain sur la plage après avoir installé un petit sapin de Noël synthétique sous le parasol !

FAIRE LA FÊTE EN DÉCEMBRE ?
RIEN DE NEUF !

Les chrétiens ne sont pas les premiers à choisir cette époque de l'année pour faire la fête. Depuis la nuit des temps, craignant que le soleil ne se lève plus du tout, les hommes ont célébré des fêtes en plein hiver, comme pour l'encourager à briller plus longtemps et plus fort.

LES SATURNALES DES ROMAINS

Durant l'Antiquité, les Romains organisent du 17 au 24 décembre de grandes fêtes en l'honneur de Saturne, le dieu des semailles et de l'agriculture. Ce sont les Saturnales. Pendant une semaine, c'est le monde à l'envers : l'esclave peut se moquer de son maître ou s'enivrer comme lui sans crainte de représailles. La nuit, on se réunit pour d'incroyables beuveries. Et, comble de l'horreur, on tire au sort le Roi des Saturnales, qui clôture la fête en se donnant la mort. Tout ça pour apaiser la colère de Saturne et favoriser la prochaine récolte !

MITHRA, LE DIEU À LA MODE

Mais en 75 après Jésus Christ, des soldats romains découvrent en Asie Mineure, l'actuelle Turquie, un culte qui les séduit, celui du dieu persan Mithra. Mithra serait né d'un rocher le... 25 décembre !
Un jour, le Soleil lui ordonne de tuer un taureau puis d'en répandre le sang dans les champs pour que la nature renaisse. Le sacrifice accompli, Mithra monte sur un char solaire pour prendre place dans le ciel. C'est pour cela qu'on l'appelle aussi le Soleil invaincu. Le culte de Mithra connaît un succès foudroyant, qui dure plus de trois siècles. On le fête particulièrement fin décembre.

LES CHRÉTIENS JALOUX

Et Noël, dans tout ça ? Justement, le culte de Mithra et les fêtes des Saturnales, de véritables orgies, ne sont pas vraiment du goût des chrétiens. Mais, il faut bien l'avouer, le succès de ces grands rassemblements festifs leur donne envie ! Ah ! Si seulement les chrétiens pouvaient, eux aussi, célébrer avec autant de faste la venue de Jésus Christ ! Mais comment savoir quand il est né ?

INVENTONS UN ANNIVERSAIRE À JÉSUS !

Au début du IVᵉ siècle après Jésus Christ, le pape Sylvestre Iᵉʳ avait encouragé les chrétiens de Rome à célébrer la Nativité du Christ le 25 décembre. En 336, dans un almanach, une sorte de calendrier, on peut lire pour la première fois : « 25 décembre : fête païenne de la renaissance du soleil et Naissance du Christ à Bethléem de Judée.» Noël est né !

Noël

Le mot « Noël » a une origine mystérieuse : peut-être vient-il du latin *natalis* (« naissance »), ou de *novella*, qui désigne, au Moyen Âge, un cri de joie pour annoncer la naissance d'un homme important; ou encore de deux mots gaulois, *noio* (nouveau) et *hel* (soleil).

Dans la plupart des langues, pour «Noël », on dit « naissance » : *natale* en italien, *navidad* en espagnol, *natal* en portugais. En anglais, *Christmas* signifie « messe du Christ ». En allemand, *Weihnachten* veut dire « nuits sacrées ». Dans ce pays, Noël est toujours fêté durant deux jours, les 25 et 26 décembre.

UN SUCCÈS IMMÉDIAT

La fête s'étend alors rapidement à toute la chrétienté, depuis les rives du Nil, en Égypte, jusqu'en Irlande. Un peu partout, on voit apparaître dans les églises de belles répliques en bois de la crèche de Bethléem. Noël devient une des fêtes les plus populaires de l'année.

Crèche

La crèche, c'est à la fois la grotte et la mangeoire où naquit Jésus. La première crèche, c'est bien sûr celle de Bethléem, la ville où Jésus est né. Au Vᵉ siècle, on réalise à Rome une copie en bois de la crèche de Bethléem. Au Moyen Âge, on multiplie la construction des crèches dans les églises. Les chrétiens viennent adorer l'enfant Jésus, représenté par une statue en bois. En 1223, à Greccio, en Italie, François d'Assise installe le soir de Noël une mangeoire emplie de paille et y amène un âne et un bœuf. Cette première crèche vivante sera imitée dans toute la chrétienté .

Santons

Peu de temps après la Révolution française de 1789, en 1803, la première foire aux santons a lieu à Marseille. Un santon (du provençal *santoun*, « petit saint ») est un personnage en argile que l'on place dans la crèche. Son inventeur est le sculpteur marseillais Jean-Louis Lagnel (1764-1822). Il créa les santons à un sou pour que chacun puisse posséder sa propre crèche.

J'Y CROIS OU J'Y CROIS PAS !

Tout le monde connaît ses joues rebondies, tendres comme du pain d'épices, sa longue barbe blanche douce comme de la ouate, ses yeux luisants comme des sucres d'orge et pétillant de malice, sa vaste houppelande bordée d'hermine, et bien sûr sa hotte remplie de cadeaux... C'est bien lui, le Père Noël ! Quel étrange et fascinant personnage ! Nul ne sait d'où il vient, mais il existe... c'est sûr !

LE PÈRE NOËL EST-IL AMÉRICAIN ?

Même si le Père Noël tient un peu de saint Nicolas, né en Turquie et très populaire dans les pays du nord de l'Europe, on peut dire que les principaux inventeurs du Père Noël sont américains.

Si le Père Noël avait un père, ce serait sans doute le dessinateur américain Thomas Nast. En 1862, celui-ci le croque en joyeux vieillard à barbe blanche et vareuse bordée de fourrure blanche, pantalon bouffant et large ceinture de cuir. En 1885, il le place dans un long traîneau tiré par un troupeau de rennes. On lui invente même un pays natal, le pôle Nord, là où se trouve son usine à jouets, enfouie sous la glace et la neige.

ROUGE ET BLANC COMME... MA CANETTE DE COCA !

En 1930, Coca-Cola, qui cherche à vendre ses bouteilles rafraîchissantes en plein cœur de l'hiver, utilise le Père Noël à des fins publicitaires. Et voici notre héros affublé de vêtements aux couleurs rouge et blanche de la marque, qui ne le quitteront plus !

Saint Nicolas

Saint Nicolas est fêté presque trois semaines avant Noël, le 6 décembre. Mais, comme on sait très peu de chose sur ce saint évêque né en Turquie en 270, on s'est mis à raconter toutes sortes de légendes à son propos. Deux de ces légendes auraient conduit au fil des siècles à créer de toutes pièces un nouveau personnage, celui qu'on attend avec impatience : le Père Noël !

Première légende de saint Nicolas :
Il aurait, dit-on, ressuscité trois petits garçons tués et mis au saloir par un affreux boucher. Saint Nicolas devient du coup le grand ami des enfants. À la fin du Moyen Âge, en Hollande, il comble de friandises et de présents les plus sages d'entre eux. Plus tard, au XVIIe siècle, de nombreux Hollandais émigrent en Amérique pour y chercher fortune. Ils emportent dans leurs bagages le personnage de saint Nicolas, appelé aussi Santa Claus.

Deuxième légende de saint Nicolas :
En 1809, un écrivain américain, Irving Washington, publie une drôle de nouvelle, l'*Histoire de Knickerbocker's*. Un vrai conte de Noël : après un naufrage, un marin hollandais voit apparaître en songe saint Nicolas en personne. Il lui demande de fonder une ville sur l'île de Manahatta. Ce sera la ville de New York, bâtie sur l'île de Manhattan. En échange, saint Nicolas promet de rendre visite à tous les habitants de la ville sur son char céleste, en descendant par les cheminées. Ça te rappelle quelque chose ?

LE PÈRE NOËL SÉDUIT L'EUROPE

En Europe, le Père Noël tarde à venir. Il faut attendre le lendemain de la Seconde Guerre mondiale pour voir apparaître comme par magie, dans les rues et les grands magasins, sa silhouette sympathique. En France, il devient populaire en 1946, grâce à la célèbre chanson interprétée par Tino Rossi, « Petit Papa Noël ».

DES COUSINS VITE OUBLIÉS

Dans certaines régions, il existait bien des personnages qui lui ressemblaient, sans doute des cousins éloignés, comme le Père Chalande en Savoie, le Père Janvier en Bourgogne, la Chauche-Vieille ou la Tante Arié (des « Mères Noël », en quelque sorte), en Franche-Comté et en Suisse. Aujourd'hui, ces personnages ont presque tous disparu. Il n'y a qu'un Père Noël, et celui-là, on n'est pas près de le voir disparaître.

UN ARBRE DANS MA MAISON ?

Et le sapin, que l'on décore avec tant de soin, d'où vient-il ?
Les Romains, encore eux, ornaient déjà leurs maisons de branches de laurier, qui symbolisaient la vie et l'immortalité, à l'occasion des Saturnales. Bien plus tard, au Moyen Âge, en Alsace puis en Allemagne, on se mit à décorer des arbres devant les églises. En effet, on jouait sur les parvis des pièces de théâtre qui racontaient la grande histoire de Dieu, depuis le récit de la Création du monde jusqu'à la naissance de Jésus. Pour évoquer l'arbre de vie du Paradis avec ses fruits bien tentants, on suspendait des pommes rouges aux branches d'un arbre vert... un sapin, par exemple, qui a la chance de ne pas perdre ses aiguilles en hiver ! L'habitude de décorer le sapin de Noël s'est développée à partir du XIXe siècle.

des escargots

un Chapon

des huîtres

du foie gras

des marrons

du vin

du homard

Bûche

Ce délicieux gâteau, créé en 1875 par un pâtissier parisien, remplace aujourd'hui la vraie bûche de bois qu'on plaçait dans la cheminée avant de se rendre à la messe de minuit. Cette coutume rappelle sans doute les feux sacrés que l'on allumait dans les pays nordiques pour ranimer le feu solaire. Les chrétiens en ont gardé le chaleureux souvenir. Bénite, la bûche devait se consumer toute la nuit et parfois jusqu'à la fête des Rois, le 6 janvier !

LA FÊTE DES ESTOMACS

Que serait Noël sans un bon repas, parfois un peu... long ? Saumon fumé ou homard, huîtres ou escargots, dinde ou chapon, foie gras, rien n'est trop bon pour satisfaire les convives les plus gloutons ! Cette tradition du copieux dîner de réveillon remonte au début du XXe siècle, l'époque où, dans les pays occidentaux, il était devenu plus facile de se procurer des mets raffinés. L'orange était alors considérée comme un fruit exotique rare. Très vite, on prit l'habitude d'en offrir aux enfants. Ah ! qu'elle était succulente, cette étrange « pomme d'orange » ! Ravis, les enfants ne mangeaient qu'un quartier par jour, qui portait le nom du jour de la semaine. Mais en France, le dessert traditionnel par excellence, c'est évidemment la bûche de Noël. Rien qu'à l'évoquer, l'eau monte à la bouche !

ET POUR FINIR...
CE QUI INTÉRESSE TOUT LE MONDE !

Après la bûche, la distribution des cadeaux peut commencer. Les cadeaux... Mot magique ! Réunis autour du sapin, les membres de la famille découvrent des présents emballés dans du papier aux mille et une couleurs chatoyantes. Cette habitude d'offrir des cadeaux la veille ou le jour de Noël remonte au XIXᵉ siècle. Elle est apparue en Angleterre puis aux États-Unis. En ce temps-là, les familles aisées offraient des présents à leurs enfants sages : un cerceau enrubanné, un cheval de bois, une poupée. Les consoles électroniques, les trottinettes ou les rollers ont remplacé aujourd'hui ces antiques jouets, mais l'excitation procurée par ces mystérieux paquets, discrètement posés sous le sapin, est restée intacte.

Sapin illuminé, cadeaux échangés en famille, bon repas qui rassemble tout le monde autour d'une table richement décorée, conclu par la traditionnelle bûche, tous les ingrédients sont réunis pour que la fête soit réussie.

Joyeux Noël à tous !

NOËL, FÊTE DES ENFANTS, FÊTE DES CADEAUX ?

Souvent, on entend dire : « Oh, Noël, c'est devenu une fête commerciale ! » C'est vrai. Dans les magasins, quelle bousculade pour acheter le sapin, la dinde, la bûche et les derniers cadeaux !

Même si l'on peut critiquer les dépenses excessives, la fête de Noël réjouit tout le monde, les petits comme les grands. C'est l'occasion où la famille se retrouve, et où chacun cherche à faire plaisir aux autres.

Mais Noël, c'est avant tout une fête chrétienne. Les chrétiens du monde entier célèbrent la naissance de Jésus, qu'ils reconnaissent comme le Fils de Dieu, venu sur terre pour apporter un message d'espérance.

Aujourd'hui, beaucoup de gens, croyants ou non, chrétiens ou non, ont adopté Noël, et ses valeurs de partage et de paix.

Le réveillon de la Saint-Sylvestre

Vivement que cette année se termine !
Une vraie galère ! Mon carnet de notes
a été catastrophique... enfin, ça, c'est papa
qui le dit. Le pire, c'est qu'au volley
on a raté tous les matchs de la saison.
Heureusement, demain on change d'année.
Je vais prendre de bonnes résolutions.
Mais d'abord ce soir on va faire une
mégaTEUF. Mes parents ont invité les
parents de mes meilleurs potes. On fera
buffet froid, on pourra s'éclater toute
la nuit. Mon grand frère, lui, a eu le
droit de s'acheter des pétards et des fusées.
Ça va pas être triste à minuit : un vrai
feu d'artifice ! Moi, je surveillerai ma
montre. À minuit pile, on s'embrasse sous
le bouquet de gui. Mélinda va tout
faire pour m'entraîner dessous, elle est
amoureuse, je le sais. Je crois que la
nouvelle année va vraiment être géniale.

LES DÉMONS DE MINUIT

Pour marquer le passage vers la nouvelle année, les hommes ont pris l'habitude de réveillonner. Ce mot signifie « se livrer à de bruyants ébats. »

Le 31 décembre, au douzième coup de minuit, en avant les cotillons, les paillettes, les danses, les bouchons de champagne, les embrassades, les pétards, les klaxons et les cloches ! Pourquoi tant de bruit ? Certains pensent qu'à l'origine c'était pour chasser les démons.

LA SAINT-SYLVESTRE

Le 31 décembre, c'est aussi la Saint-Sylvestre. Qu'a donc fait ce Sylvestre pour être associé au passage à la nouvelle année? Oh! Pas grand-chose ! Simple coïncidence de calendrier ! Sylvestre Ier fut pape de 314 à 335. Il aida l'empereur Constantin à faire adopter la religion chrétienne dans tout l'empire romain. Homme de grande sagesse, il mourut un 31 décembre. En ce temps-là, c'était un jour comme les autres, qui ne correspondait pas encore à la veille d'une nouvelle année.

VŒUX, BAISERS ET BONNES RÉSOLUTIONS

Le 31 décembre, on suspend un bouquet de gui au plafond d'une pièce. Et quand vient le douzième coup de minuit qui salue la nouvelle année, la tradition veut qu'on s'embrasse sous ce bouquet inhabituel. L'heure est également aux vœux et aux bonnes résolutions. Comme par enchantement, tout semble alors possible. L'année qui commence sera forcément meilleure que celle qui se termine !

Le gui porte-bonheur

Le gui est une plante parasite qui peut vivre quarante ans sur un arbre. En hiver, il reste vert, alors que l'arbre semble mort, sans feuilles. Pour les Gaulois, le gui du chêne était sacré. Au sixième jour de la Lune qui succède au solstice d'hiver, c'est-à-dire autour du 31 décembre, ils organisaient une grande fête du gui. Les druides le coupaient avec une serpe d'or en prononçant une formule incantatoire : « O ghel an heu ! », que le blé lève ! Ils espéraient ainsi rendre la terre féconde. Cette expression s'est transformée au cours des âges pour devenir aujourd'hui « Au gui l'an neuf ! ». Merci Panoramix !

Le nouvel an

1er janvier

Le 1er janvier, c'est le premier jour de l'année.
Une année qui commence par un jour férié, c'est plutôt sympa !
Pour saluer cette nouvelle année, on s'adresse des vœux
de bonne santé, de prospérité, de paix et de joie.
Bref, la bonne humeur règne : pourvu que ça dure !

La Lune pour les mois, le Soleil pour les années

Le cycle complet de la Lune dure exactement 29,53 jours. Les premiers astronomes établirent donc qu'un mois compterait 29 ou 30 jours. Le Soleil qui, pour eux, tournait autour de la Terre, met un peu plus de 365 jours pour revenir à la même place. Cette durée constitue une année, décidèrent ces observateurs.

Nouvel An chinois

Certains pays fêtent la nouvelle année à une autre date que le 1er janvier. Les Chinois célèbrent le Yuan Tan, le « début de l'année », au cours du mois de janvier. Le Nouvel An vietnamien, le Têt Nguyên Dan, se fête, lui, en février.

LA MESURE DU TEMPS

Très tôt, les hommes ont constaté les mouvements réguliers du Soleil et de la Lune. Certains peuples choisirent donc le calendrier lunaire, d'autres, le calendrier solaire pour mesurer une année. Mais ces calendriers restaient imprécis, et il fallait souvent les corriger pour rééquilibrer le rythme d'une année.

LA NAISSANCE DU CALENDRIER JULIEN

En l'an 46 avant Jésus Christ, l'empereur Jules César impose un nouveau calendrier, qui prend tout naturellement son nom. Pour l'établir, il fait appel à un astronome égyptien. Mais le savant se trompe dans ses calculs : son année dure 365 jours et 6 heures, alors qu'en réalité une année solaire ne dure que 365 jours 5 heures et 48 minutes. Résultat : quelques siècles plus tard, le décalage atteignait déjà onze jours. À ce rythme, l'hiver serait bientôt en plein mois de juillet !

QUELLE PAGAILLE !

Au Moyen Âge, l'année ne commençait pas toujours le même jour. À Venise, elle débutait le 1er mars ; en Toscane et en Angleterre, le 25 mars, jour de l'Annonciation ; en Russie, le 21 ou le 22 mars, jour du printemps ; en Allemagne, le 25 décembre. En France, le désordre régnait : à Soissons, l'année commençait le 25 décembre, mais en Provence, c'était le 25 mars ! Quant aux Parisiens, ils fêtaient l'an neuf à Pâques, c'est-à-dire, selon les années, un jour entre le 22 mars et le 25 avril !

CE SERA LE 1ER JANVIER, ORDRE DU ROI !

En 1564, le roi Charles IX met de l'ordre dans tout ça en fixant le début de l'année au 1er janvier. Cette date s'impose lentement dans toute l'Europe. Les Anglais ne l'adoptent qu'en 1752 !

LE CALENDRIER GRÉGORIEN

Il reste toutefois un problème à régler : comment supprimer le décalage qui existe entre le calendrier de Jules César et l'année solaire ? En 1582, le pape Grégoire XIII, sur les conseils d'un mathématicien, propose de supprimer tout simplement dix jours du calendrier. Cette année-là, on passe donc directement du 4 octobre au 15 octobre. Dommage pour les vacances d'automne !

LES CARTES DE VŒUX

Entre le 1er et le 31 janvier, on prend l'habitude d'échanger des vœux en envoyant des cartes, mais aussi en se rendant visite. C'est une manière de renouer avec des personnes que l'on n'a plus vues depuis longtemps. Aujourd'hui, la coutume des cartes est bien vivante. La première carte imprimée pour cette occasion date de 1843 ; elle a été dessinée par un Anglais, John Calcott Horsley.

Les années bissextiles

Malgré les propositions de Grégoire XIII, il subsiste encore un petit décalage. On instaure donc une année bissextile de 366 jours tous les quatre ans, sauf aux changements de siècle, s'ils ne sont pas divisibles par 400 ! Ouf, on y arrive ! C'est pour cela que l'an 2000 a été une année bissextile.

L'Épiphanie

6 janvier

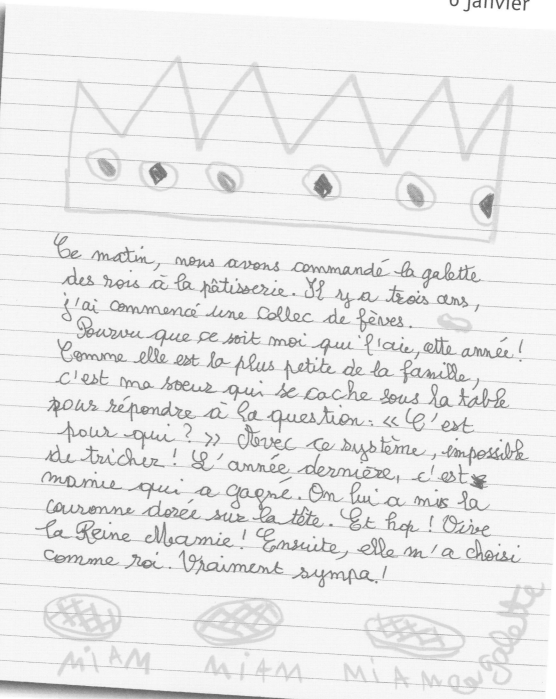

Ce matin, nous avons commandé la galette des rois à la pâtisserie. Il y a trois ans, j'ai commencé une collec de fèves.

Pourvu que ce soit moi qui l'aie, cette année ! Comme elle est la plus petite de la famille, c'est ma soeur qui se cache sous la table pour répondre à la question : « C'est pour qui ? » Avec ce système, impossible de tricher ! L'année dernière, c'est mamie qui a gagné. On lui a mis la couronne dorée sur la tête. Et hop ! Vive la Reine Mamie ! Ensuite, elle m'a choisi comme roi. Vraiment sympa !

MIAM MIAM MIAM la galette

É-PI-PHA-NIE

Épiphanie, quel nom curieux ! Il s'agit d'un mot grec, qui veut dire « manifestation ». Vers 140, les chrétiens d'Orient ont choisi cette date pour célébrer la « manifestation » du Christ, sa venue sur terre. C'est aussi le jour où il s'est fait connaître comme fils de Dieu, lors de son baptême dans le Jourdain, vers l'âge de trente ans.

TROIS FÊTES EN UNE !

Depuis, on a gardé la date, 6 janvier, et le mot, épiphanie, mais à vrai dire on fête autre chose que la manifestation du Christ ! Les chrétiens d'Orient, qu'on appelle aussi les orthodoxes, célèbrent toujours ce jour-là la naissance et le baptême de Jésus. Pour les chrétiens d'Occident, l'Épiphanie rappelle la visite des mages à l'enfant Jésus, racontée par l'évangéliste Matthieu.

L'HISTOIRE DES ROIS MAGES

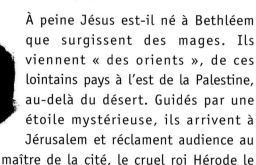

À peine Jésus est-il né à Bethléem que surgissent des mages. Ils viennent « des orients », de ces lointains pays à l'est de la Palestine, au-delà du désert. Guidés par une étoile mystérieuse, ils arrivent à Jérusalem et réclament audience au maître de la cité, le cruel roi Hérode le Grand. « Où est le roi des Juifs qui vient de naître ? lui demandent-ils. Nous avons vu se lever son étoile, et nous sommes venus nous prosterner devant lui. »

Inquiet pour son propre pouvoir, Hérode prend conseil auprès des prêtres et des scribes d'Israël. Il apprend que, selon le prophète Michée, le Messie doit naître à Bethléem. Après avoir promis à Hérode de tout lui rapporter, les mages s'y rendent. Aux abords de Bethléem, l'étoile qui les avait guidés arrête sa course au-dessus d'une étable. Les mages y entrent alors, découvrent l'enfant emmailloté, se prosternent devant lui et lui offrent de somptueux présents. Au moment du départ, un ange de Dieu les avertit en songe de ne pas informer Hérode. Ils rentrent dans leur pays en empruntant un autre chemin.

Les cadeaux des mages

On dit que Melchior apporta la myrrhe. Cette résine odorante était utilisée pour embaumer les corps. Est-ce une façon d'annoncer que l'homme Jésus connaîtra la mort ? Balthazar vint avec de l'or, cadeau royal, pour honorer Jésus, roi de l'univers. Gaspard, enfin, offrit l'encens qui évoque la divinité de Jésus. Pas de galette, dans tout ça.

Étoile filante, planète, comète ?

Poussés par la curiosité, les plus grands astronomes d'aujourd'hui ont cherché à savoir si le phénomène céleste évoqué dans la Bible avait pu avoir lieu, ou si ce n'était qu'une légende. Ils ont pu calculer qu'en l'an 6 avant notre ère, il y a eu un très rare rapprochement des planètes Mercure, Jupiter et Saturne. C'est une piste possible...

En tout cas, l'étoile de Bethléem n'était pas une comète, car pour les hommes de ce temps la comète annonçait un grand malheur. En revanche, selon la tradition juive, pour signifier la naissance d'un homme choisi par Dieu, on dit que son étoile s'est levée dans le ciel. La présence de cette étoile dans la Bible serait ainsi plus un symbole qu'un phénomène cosmique.

DES PERSONNAGES MYSTÉRIEUX

Qui sont les mages ? Combien sont-ils ? D'où viennent-ils ? La Bible ne donne aucune précision. Le terme « mage » désigne à la fois des savants, des astrologues, des magiciens. Selon un auteur grec du VIIe siècle, ils étaient trois et s'appelaient Bithisarea, Melichior et Gathaspa. Deux siècles plus tard, ces noms furent transformés en Balthazar, Melchior et Gaspard. Les trois visiteurs symbolisaient les races humaines. C'est pour cela que l'on prit l'habitude de représenter Balthazar avec la peau foncée.

On dit « rois mages », pourtant une chose est sûre: les mages ne sont pas des rois. Mais ils étaient parmi les premiers à reconnaître en un bébé le fils de Dieu. Seuls des personnages très importants pouvaient avoir une telle sagesse ! Rapidement, on se persuada qu'ils ne pouvaient être que des rois. Pas besoin de fève pour être couronné !

LA GALETTE

Cependant tout cela ne nous dit pas pourquoi l'on mange une galette en ce jour de fête ! La tradition est ancienne : elle est attestée pour la première fois en France en 1311. Ronde comme le soleil, feuilletée à Paris, briochée à Lyon, sous la forme d'une couronne en Provence, souvent fourrée à la frangipane, savoureuse pâte d'amande, la galette est toujours associée à une fève et une couronne.

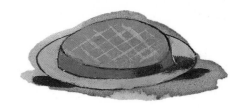

La galette du président

En France, le président de la République invite chaque année de nombreux enfants pour manger la galette. Mais aucun d'entre eux n'est sacré roi : la France n'est plus une monarchie, mais une République !

LA FÈVE

À l'origine, il s'agissait d'une vraie fève, c'est-à-dire d'un petit haricot. La forme de la graine de ce légume est celle d'un embryon : c'est pour cela qu'on lui attribue des vertus de fécondité. En 1875, au nord de l'Allemagne, le haricot est remplacé par une fève en porcelaine, devenue aujourd'hui un objet de collection. On utilise encore le mot fève, pourtant toutes les formes sont permises : santons, petites voitures, personnages de dessins animés...

LE CHOIX DU ROI

Qu'elle soit une figurine en porcelaine ou un vrai haricot, la fève est toujours considérée comme un porte-bonheur. D'ailleurs, quand on tombe dessus, ça fait mal aux dents, mais on est immédiatement couronné. Pour éviter toute tricherie, le plus jeune se glisse sous la table pour ordonner la distribution des parts. L'élection d'un roi, c'est du sérieux !

La Chandeleur

En rentrant de l'école, on a préparé la pâte à crêpes avec maman. Maintenant, elle se repose. Maman aussi. L'an dernier, j'ai réussi à faire sauter mes crêpes sans qu'elles tombent par terre. On va voir si je m'en sors aussi bien cette fois-ci. Simon, celui qui va se régaler, c'est le chien ! :)

28

25 DÉCEMBRE + 40 JOURS = 2 FÉVRIER !

Dans l'impériale cité de Rome, au Ve siècle, les chrétiens sont devenus nombreux. Le 2 février, c'est-à-dire quarante jours exactement après Noël, ils célèbrent la Présentation de Jésus au Temple.

LA LUMIERE DES CHANDELLES

À Rome donc, les chrétiens prirent l'habitude de faire une procession ce jour-là, tôt le matin. Ils se munissaient de chandelles, à la fois pour éclairer leur chemin et pour rappeler que le Christ est la Lumière du monde. Les cierges, considérés comme des porte-bonheur, étaient ensuite conservés dans l'armoire familiale. Ainsi naquit la fête des chandelles, la Chandeleur.

LE PAPE PÂTISSIER

Dans les années 490, voici que des pèlerins venus de Jérusalem arrivent, le jour de la Chandeleur, aux portes de Rome. La longue route les a épuisés. Ils demandent asile au pape Gélase Ier. Ces pèlerins qui ont foulé la terre de Jésus méritent qu'on les accueille avec le plus grand soin ! Alors, notre bon pape se rend à la cuisine pour leur préparer des « oublies », des gaufres rondes roulées en cornet, à base de farine et d'œufs. Les pèlerins sont rassasiés, et la crêpe papale va traverser les siècles !

UN DESSERT QUI PORTE CHANCE

La légende, car c'en est une, est belle. Mais les crêpes, elles, existent bel et bien. On dit que leur forme ronde et leur couleur dorée symbolisent le soleil. De nombreuses superstitions les entourent. Si l'on parvient à faire sauter une crêpe avec une pièce d'or dans la main gauche, ça porte bonheur. En Vendée, on conjurait le sort en déposant une crêpe au-dessus de l'armoire à linge. En Normandie, on raconte que les paysans, pour payer leurs impôts au seigneur du coin, devaient faire sauter une crêpe devant lui. S'ils la retournaient correctement, ils avaient le droit de déduire un sou de leur dîme !

La Présentation, c'est quoi ?

L'évangéliste Luc raconte que, selon la loi juive, tout garçon premier-né devait être consacré au Seigneur. Marie et Joseph amènent donc le petit Jésus au Temple de Jérusalem. Là, un vieillard, Siméon, prend l'enfant dans ses bras. Il le reconnaît comme « le Christ du Seigneur », c'est-à-dire celui que le Seigneur a choisi. « Tu es la Lumière qui éclaire les nations », s'exclame-t-il. De lumière à chandelle, le chemin n'est pas long !

Carnaval

Je ne sais pas encore en quoi je vais me déguiser cette année. Plus qu'une semaine pour se décider ! L'an dernier, j'étais en princesse, avec une longue robe à paillettes. C'était génial ! Maman a des modèles de costumes à coudre. Il faut qu'on se dépêche de choisir. Ma copine, elle a déjà acheté son déguisement. Ce qui est super, c'est que même à l'école on sera déguisés. La maîtresse aussi ! Et après la classe, en route pour le défilé ! Des chars, des majorettes, des confettis, la fanfare, les bonbons, et le bonhomme carnaval. Le plus drôle, c'est que même papa est déguisé et maquillé !

UN MOIS DE CARNAVAL, GÉNIAL !

Autrefois, Carnaval était un temps de réjouissances entre l'épiphanie (6 janvier) et le mercredi des Cendres, qui marque le début du Carême. Plus d'un mois de folle gaieté, ils en avaient, de la chance, nos ancêtres ! Aujourd'hui, la fête dure habituellement un jour. C'est le Mardi gras, veille du Mercredi des Cendres.

L'ÉLOGE DE LA FOLIE

Depuis la plus haute Antiquité, le mois de février est propice à toutes sortes de débordements. Ce qui était interdit devenait alors possible, l'espace d'un jour et d'une nuit. Les Grecs, les Égyptiens, les Hébreux, tous les peuples de l'Antiquité avaient leur fête des fous. Durant chacune de ces fêtes, tout fonctionnait à l'envers : les esclaves prenaient la place des maîtres de maison et se faisaient servir à table par ces derniers tout en les insultant copieusement ! Très tôt, donc, à Carnaval, on prit l'habitude de transgresser les règles morales et sociales. Grâce aux déguisements, à la satire et à l'humour, les rapports établis entre riches et pauvres, paysans et bourgeois, clercs ou soldats disparaissaient.

Mardi gras

« Carnaval » vient d'une expression latine, *carne levare*, qui veut dire « enlever la viande », autrement dit : « plus de viande ! » Précédant le Mercredi des Cendres, qui est le début de la longue période de jeûne du Carême, ce jour annonçait bien la couleur : « Profitons-en, mangeons le bœuf gras avant que la viande ne soit interdite. » Carnaval devint tout naturellement un jour « gras », en opposition aux jours « maigres » qui allaient suivre.

VILLES EN DÉLIRE

Dans certaines villes, comme Nice, Dunkerque, Venise, Cologne...,
Carnaval est fêté pendant plusieurs jours. Le plus célèbre, c'est
celui de Rio de Janeiro, au Brésil. Là-bas, c'est encore l'été !
Pendant cinq soirs, tous les habitants arborent des costumes
incroyablement colorés et défilent dans les rues au rythme de la
salsa et de la samba. On désigne les meilleurs danseurs à l'issue
d'un concours. À Nice, d'énormes personnages grotesques, juchés
sur des chars, attirent une foule costumée.

LE ROI CARNAVAL

Au Moyen Âge, les villageois confectionnaient un grand mannequin, le sacraient roi Carnaval, et le faisaient défiler en tête d'un joyeux cortège. À la tombée de la nuit, ce pantin, rendu coupable des bêtises de chacun, était jugé par un faux tribunal. Le verdict était chaque année le même : « Carnaval, tu seras brûlé ! » On chantait et dansait autour du feu, dans lequel disparaissaient le mannequin, les bêtises, et les mauvais esprits ! Certains y jetaient aussi leurs masques. Dans certaines régions de France, cette tradition est encore vivante.

La Saint-Valentin
14 février

Qui était ce Valentin que célèbrent tous les amoureux ?
Un saint ou un séducteur ? Un jeune homme romantique ?
Un grand timide qui n'osait jamais déclarer sa flamme ?
Difficile de le savoir, car à la date du 14 février,
le calendrier mentionne plus de sept saints Valentin.
Quand on aime, on ne compte pas !

VALENTIN : AMOUREUX OU COURAGEUX ?

Le saint Valentin que la tradition cite le plus souvent, c'est l'évêque de Terni, une ville italienne. À son époque, le IIIᵉ siècle, les Romains continuent de persécuter les chrétiens. Valentin n'y échappe pas. Arrêté, il est conduit devant son juge, Asterius, qui lui dit :
- Renie ta foi, et tu auras la vie sauve !
Valentin ne se laisse pas impressionner :
- Je te le dis, Jésus Christ est le Fils de Dieu et la Lumière du monde.
Asterius est soudain perplexe :
- Lumière du monde ? Eh bien, si tu peux rendre la vue à ma fille, qui est aveugle, je croirai que ton Jésus est Fils de Dieu et qu'il est la Lumière du monde.
Valentin, plein de confiance, impose les mains sur les yeux de la jeune aveugle. Celle-ci recouvre la vue. Aussitôt, Asterius demande le baptême pour lui et toute sa famille, selon la coutume de ce temps. Mais l'empereur romain, scandalisé par cette conversion, ordonne qu'on exécute le juge et sa famille. Valentin, lui, est torturé, puis décapité le 14 février 270.

Coïncidences et jeux de hasard

Tragique histoire... mais quel rapport avec les amoureux ? Aux alentours du 14 février, les Romains fêtaient les lupercales en l'honneur de Lupercus, le dieu des troupeaux et des bergers, et le retour du printemps. À cette occasion, on organisait une sorte de loterie d'amour. On tirait au sort un garçon et une fille. Les deux tourtereaux devaient sortir ensemble tout au long de l'année. Les chrétiens n'appréciaient pas cette coutume : l'amour, ce n'est pas un jeu de hasard ! Ils tentèrent de la faire disparaître, mais le lien entre le sentiment amoureux et le 14 février est resté !

Valentins et valentines

À la fin du XIVᵉ siècle, en Angleterre, une nouvelle tradition, le valentinage, reprend le flambeau des Lupercales. Le 14 février, un cavalier, qu'on appelait « valentin », s'associait à une jeune fille, une « valentine », souvent désignée par tirage au sort. Le cavalier servant devait offrir un cadeau à sa belle d'un jour.

Les tourtereaux et autres oiseaux

On raconte aussi que les jeunes filles essayaient ce jour-là de deviner comment serait leur futur mari. Pour cela, elles observaient les oiseaux. Un rouge-gorge venait à passer ? Le mari serait marin ! Un moineau se posait près d'elles ? Le mariage serait heureux... mais peu fortuné ! Un chardonneret s'envolait à tire-d'aile ? Quelle chance, l'élu serait riche ! Et le corbeau ? Mieux vaut ne pas y penser...

Cartes postales, bouquets, cadeaux et bijoux

Plus tard encore, toujours en Angleterre, les jeunes gens prirent l'habitude de s'envoyer des mots doux sur des cartes appelées des « valentines ». Certaines restaient même anonymes. Cette tradition populaire, exportée en Amérique du Nord, est revenue en Europe au lendemain de la Seconde Guerre mondiale. En France, la Saint-Valentin connaît un grand succès depuis 1990. Dès le début du mois de février, une multitude de cœurs s'affichent sur les vitrines des commerçants, et les amoureux s'offrent de petits cadeaux pour se dire tendrement « Je t'aime ».

La Saint-Patrick

17 mars

En Irlande, la Saint-Patrick est la fête nationale.
Mais la renommée de l'évêque qu'elle célèbre a dépassé les frontières
de l'île. Aux États-Unis, où les immigrés irlandais sont nombreux,
on défile ce jour-là au son de la cornemuse et des fanfares.
En France, depuis quelques années, Patrick est bruyamment fêté
dans les pubs et tavernes des grandes villes.

QUEL AVENTURIER, CE SAINT-LÀ !

Quelle vie rocambolesque que celle de ce Gallois, né vers 390 ! Kidnappé par des pirates à l'âge de seize ans, vendu à un paysan d'Irlande, esclave gardien de porcs, il s'enfuit au bout de six ans et regagne la ferme de ses parents. Une nuit, il entend Dieu qui l'appelle à évangéliser l'Irlande, encore païenne à l'époque. Ni une ni deux, l'intrépide Patrick court christianiser l'île, gouvernée par de nombreux rois païens. Il endure mille et une épreuves au péril de sa vie, mais sa foi est aussi inébranlable que le granit. Patrick fonde de très nombreux monastères. Il est soutenu par les moines et les évêques, qu'il éduque et enseigne avec autorité. Il meurt le 17 mars 461 et devient tout naturellement le patron de l'Irlande.

LE TRÈFLE À TROIS FEUILLES

Grâce à saint Patrick, le trèfle à trois feuilles est devenu le symbole de l'Irlande. Il l'utilisa pour expliquer à ses disciples le mystère de la Trinité : Dieu est à la fois Père, Fils et Esprit, tout en restant un seul Dieu, à l'image de la tige du trèfle qui se divise en trois pétales.

Lors des défilés de la Saint-Patrick, en Irlande, mais aussi aux États-Unis, où les immigrés irlandais sont nombreux, chacun arbore fièrement un trèfle à sa boutonnière.

LA FÊTE DE LA BIÈRE

Depuis 1993, la Saint-Patrick s'est imposée en France grâce à la bière Murphy's. Cette marque irlandaise ne remerciera jamais assez le patron des Irlandais. Tout juste rachetée par le groupe Heineken, Murphy's a l'idée de vendre sa bière brune en affublant la bouteille du fameux trèfle vert. Depuis, les pubs irlandais des grandes villes françaises et européennes rassemblent pour la Saint-Patrick de grandes foules de joyeux fêtards. Des fêtards que le saint homme aurait sans doute invités à plus de modération...

PRINTEMPS

Pâques

J'adore peindre les œufs de Pâques. Mais je déteste les vider en soufflant. C'est fragile, un œuf, à chaque fois il y en a un qui casse. C'est gluant, béeerk! Des fois, on trouve même des grosses poules dans le jardin, ou même des cloches. Tu défais le ruban, et dedans il y a plein de petits chocolats. Le problème, c'est qu'il faut couper la tête à ta poule. Parfois j'attends, mais c'est dur de résister.

Deux fêtes de Pâques

Pour les chrétiens, Pâques est la plus grande fête de l'année. Elle célèbre la mort et la résurrection du Christ. Mais les juifs fêtaient la Pâque bien avant les chrétiens.

Le passage de la mer Rouge

En 1300 avant Jésus Christ, Pharaon, roi d'Égypte, avait réduit à l'esclavage le peuple des Hébreux. Privé de terre et de liberté, ce peuple n'en peut plus d'endurer le joug du tyran égyptien. Dieu entend la souffrance de son peuple. Un jour, il prévient Moïse : c'est lui qui aura pour mission de libérer le peuple et de le conduire par-delà le désert, vers une terre nouvelle. Le départ vers cette Terre promise est précipité. Poursuivis par Pharaon et son armée, les Hébreux, conduits par Moïse, fuient vers la mer Rouge. Dieu ouvre la mer, et ils peuvent la franchir à pied sec. Voyant les flots de la mer Rouge miraculeusement retenus, Pharaon ordonne à son armée de se lancer à travers le gué. Mais c'est compter sans la colère de Dieu. Les flots se referment et engloutissent toute l'armée de Pharaon.

Pâque(s)

L'origine de ce mot vient de *Pessa'h*, un mot hébreu, la langue des juifs, qui veut dire « passage ». Dans la Bible, on voit apparaître ce mot pour la première fois au livre de l'Exode (12, 11), pour le fameux passage de la mer Rouge.
On dit « la Pâque » pour évoquer la fête juive, mais on écrit « Pâques » au pluriel pour la fête chrétienne.

Aujourd'hui encore, les chrétiens commémorent l'entrée triomphale de Jésus dans Jérusalem en fêtant les Rameaux, le dimanche précédant Pâques. Ils se rendent à la messe avec des branches de buis, de laurier, qui sont bénies au cours de la cérémonie.

LA PÂQUE JUIVE

C'est cet épisode, le passage de la mer Rouge et la libération de leur peuple, que fêtent les juifs lors de la Pâque.

Pendant une semaine, on ne mange plus d'aliments contenant du levain, pour rappeler le départ précipité des Hébreux, qui n'avaient même pas eu le temps de faire lever les pains.

Le soir de la Pâque, on se réunit autour d'un grand repas joyeux, et on sert du vin dans quatre verres, qui correspondent aux étapes de la délivrance : la fin des corvées, l'émancipation, la libération et l'adoption des juifs par Dieu comme peuple élu.

LA DERNIÈRE PÂQUE DE JÉSUS

Jésus était juif, et chaque année, il célébrait la Pâque avec sa famille. Au début des années 30, Jésus parcourt les routes de Galilée. Suivi par des milliers de personnes, il guérit des malades, rend la vue aux aveugles, redonne force et vie aux paralysés et, surtout, annonce un royaume de justice et de paix. Cette année-là donc, une semaine avant la Pâque, il entre dans la ville de Jérusalem, acclamé par une foule en liesse. Les hommes, les femmes et les enfants brandissent des rameaux d'oliviers et des palmes comme s'ils accueillaient un grand roi.

LA FÊTE EST DE COURTE DURÉE

Quatre jours plus tard, Jésus réunit tous ses disciples pour le repas de la Pâque. Ce sera le dernier qu'il prendra avec eux. Dans la nuit, Jésus, trahi par un de ses disciples, Judas, est arrêté, puis conduit devant Pilate, le gouverneur romain. Soumis à la torture, il est condamné à mort. On le cloue sur une croix. Il meurt peu de temps après. Il est enterré en dehors de la ville, sur le mont des Oliviers.

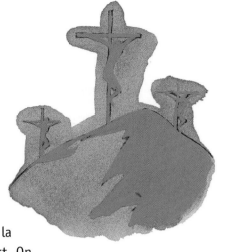

IL EST MORT, MAIS IL EST VIVANT

Trois jours après la mort du Christ (en comptant le vendredi comme premier jour), des femmes se rendent à son tombeau. Et là, stupeur ! elles voient que l'énorme pierre tombale a été roulée, et que le corps a disparu. Il ne reste plus que le linceul et le linge. C'est alors que Jésus apparaît, vivant, à une de ces femmes, Marie-Madeleine.

La Semaine sainte

La semaine qui précède le dimanche de Pâques est appelée Semaine sainte. Les chrétiens rappellent les derniers moments de la vie de Jésus.

Le dernier repas de Jésus est appelé la Cène, ce qui veut dire en latin « repas du soir ». Les chrétiens le commémorent le Jeudi saint. Le Vendredi saint, ils célèbrent la Passion du Christ, à savoir son arrestation, sa condamnation, sa mort.

Le lendemain, Samedi saint, la tradition rapporte que le Christ descend aux enfers. C'est le seul jour de l'année où il n'y a pas de messe.

Comme une traînée de poudre

Folle de joie, Marie-Madeleine s'empresse d'annoncer l'incroyable nouvelle : « Il est ressuscité ! » La rumeur se répand, relayée bientôt par les apôtres eux-mêmes. Nombreux alors sont ceux qui rencontrent le Christ ressuscité, et encore plus nombreux ceux qui sont témoins de miracles extraordinaires. De nombreux juifs deviennent disciples du Christ, suivis très vite par des païens, Grecs et Romains. Le christianisme naît à la suite de cette joyeuse nouvelle, fêtée le dimanche de Pâques.

La date de Pâques

La Pâque juive et la fête chrétienne de Pâques sont donc fêtées à peu près au même moment. La fête chrétienne est toujours célébrée un dimanche. C'est le dimanche qui suit la première pleine lune après l'équinoxe de printemps. C'est pour cela que la date est mobile, et que Pâques peut être célébré entre le 22 mars et le 25 avril.

QUEL RAPPORT AVEC L'ŒUF ?

Dans de nombreuses civilisations, l'œuf est associé à l'origine du monde, ainsi qu'au retour du printemps. En Perse, pour le jour de l'an, fixé à l'équinoxe de printemps, on offrait des œufs décorés. Cette tradition est encore vivante en Europe centrale et en Ukraine. La date de Pâques coïncide avec cette tradition ancienne. Pour cette raison, l'œuf, symbole de vie, a été associé à Pâques, fête de la vie nouvelle. « Christ est ressuscité ! Il est vraiment ressuscité ! », disent les orthodoxes, en s'échangeant des œufs bénits.

Décoré, en bois ou en chocolat, l'œuf envahit toute la maison. On le cache dans le jardin, on en garnit des bouquets, on le cherche, on le mange !

Les cloches de Pâques

Après avoir sonné à toute volée le chant du Gloria, pendant la messe du Jeudi saint, les cloches se taisent jusqu'à la nuit de Pâques. Elles rappellent ainsi la mort du Christ. On dit que les cloches s'envolent pour Rome pour y accomplir leurs Pâques, pour déjeuner avec le pape ou se confesser à lui. Au retour, pour annoncer la résurrection du Christ, elles déversent une pluie de friandises dans les jardins et les prés.

Qui pond des œufs ?

Les poules, bien sûr ! Mais en France on parle aussi des cloches. En Allemagne et en Autriche, en Grande-Bretagne, et même en Alsace, c'est un lièvre qui pond ses œufs dans un nid ! Pourtant les lièvres, les cloches, ça ne pond pas d'œufs...

Le lièvre de Pâques

C'est vrai, le lièvre ne pond pas d'œufs. Mais son gîte est une cavité creusée dans le sol et garnie de branchages : on dirait un nid. Pour cette raison, et comme cet animal se reproduit rapidement, on l'a associé à l'œuf, symbole de fertilité et de fécondité.

Vive la vie !

Pâques est la plus importante fête chrétienne de l'année, plus importante même que Noël.
Elle invite les chrétiens à reconnaître dans l'homme Jésus le Fils de Dieu, venu sauver tous les hommes. Pâques rappelle cette incroyable nouvelle qui résiste tant à l'esprit humain : le Christ, mort pour les péchés des hommes, est revenu à la vie. Ainsi, Pâques rappelle la promesse du Christ : « Je suis avec vous pour toujours. » Croire en la résurrection du Christ, c'est croire que la mort, les guerres, les conflits meurtriers n'auront jamais le dernier mot. Pour les chrétiens, Pâques est donc la fête de l'espérance.

L'ascension

Quarante jours exactement après Pâques,
c'est l'Ascension. Elle tombe donc toujours un jeudi.

LE CHRIST REJOINT SON PÈRE

Les chrétiens célèbrent la dernière apparition du Christ à ses disciples, puis sa montée au ciel, auprès de son Père (en latin, *ascendere* veut dire « monter »).

QUARANTE JOURS APRES PÂQUES

Le nombre 40 n'est pas le fruit du hasard. Dans la Bible, on le rencontre très souvent. Il symbolise l'attente et l'épreuve. Quarante, c'est le nombre de jours que Noé devra attendre dans son arche, avec tous les animaux du monde, avant de trouver une terre ferme pour accoster. Quarante, c'est le nombre des années que le peuple des Hébreux, en route vers la Terre promise, passe dans le désert du Sinaï. Quarante, c'est le nombre d'années du règne de David, mille ans avant la naissance du Christ. Quarante, c'est encore le nombre de jours et de nuits qu'il faut au prophète Élie pour traverser le désert vers la montagne de Dieu. Quarante, c'est le nombre de jours que Jésus passe au désert à jeûner.

LE NOMBRE 40 SE CACHE DANS NOTRE CALENDRIER

Le Carême est une période de quarante jours de jeûne pour préparer la fête de Pâques. Quarante jours après Noël, c'est le 2 février, fête de la Présentation de Jésus au Temple. Quarante jours après la fête de la Transfiguration (6 août), c'est la fête de la Sainte-Croix (14 septembre). Ces deux fêtes sont célébrées avec faste par les orthodoxes.

Dans la Bible

Cet événement est raconté dans deux évangiles, ceux de Marc (16, 19) et Luc (24, 50-53) et dans les Actes des Apôtres (1, 9-11).

La Pentecôte

Dix jours après l'Ascension a lieu la grande fête de Pentecôte,
soit... cinquante jours après Pâques. D'ailleurs, le mot « Pentecôte »
vient du grec et signifie « cinquante jours ».

Le lundi de Pentecôte

Autrefois, les jours qui suivaient la fête étaient
fériés. Aujourd'hui, il ne subsiste plus que le lundi,
mais le caractère férié de cette date, tout comme le
lundi de Pâques, n'a rien de religieux. Il remonte à
1886 : la IIIᵉ République voulait offrir aux Français
deux grands week-ends dans l'année.

LA VENUE DE L'ESPRIT SAINT

Le jour de la Pentecôte, les chrétiens commémorent un événement
survenu chez les disciples. Cinquante jours après la résurrection de
Jésus, les disciples se réunissent dans une salle pour prier.
Soudain, un grand vent se lève, balaie tout sur son passage et force
les portes et les fenêtres closes. Terrifiés, les disciples voient
tomber sur chacun d'eux des langues de feu. Ils sortent alors dans
les rues de Jérusalem, et se rendent compte qu'ils savent parler une
multitude de langues. Ils annoncent à tous que le Christ est
ressuscité, et de nombreuses personnes se convertissent.

LA PENTECÔTE JUIVE

Les Juifs célèbrent eux aussi Pentecôte. Cette fête s'appelle chez
eux Shavouôth, c'est-à-dire « fête des sept semaines ». Il s'agit de
la fête de la moisson ou encore des premiers fruits. En plein milieu
du printemps, la terre offre en effet ses premiers fruits. En 140
après Jésus Christ, elle devient la fête du « don de la Torah » (c'est-
à-dire la Loi) à Moïse. Aujourd'hui, les juifs répandent ce jour-là
des épices et des roses dans les synagogues pour rassurer les
enfants qui craindraient la toute-puissance de Dieu.

La fête-Dieu

La Fête-Dieu est moins connue que l'Ascension ou Pentecôte. Pourtant, dans certaines régions de France et dans de nombreux autres pays, c'est une fête très importante.

LA FÊTE-DIEU, C'EST LA FÊTE DE DIEU ?

Et les autres fêtes religieuses, alors ? Le vrai nom de cette fête catholique est « fête du Saint-Sacrement ». Le pape Urbain IV l'institua en 1264. Ce jour-là, les catholiques témoignent l'importance qu'ils attachent à l'hostie, symbole du Corps du Christ.

DES PROCESSIONS

Traditionnellement, le jour de la Fête-Dieu, toutes les catégories sociales, comme les confréries religieuses, les corporations, les pompiers ou encore les militaires, marchent en procession derrière le prêtre, qui porte l'hostie. Devant lui s'avance un cortège de jeunes filles vêtues de blanc, qui lancent des pétales de fleurs devant elles.

UNE FÊTE QUE L'ON OUBLIE PARFOIS

Aujourd'hui, en France, les processions du Saint-Sacrement ont disparu des villes ; cependant, depuis une dizaine d'années elles connaissent un regain d'intérêt dans les villages. Dans d'autres pays comme l'Allemagne, l'Autriche ou la Pologne, cette fête est très importante. C'est même un jour férié.

Devinette

Quarante jours après Pâques, c'est l'Ascension.
Dix jours après l'Ascension, c'est la Pentecôte.
Dix jours après la Pentecôte, c'est la Fête-Dieu.
Quel jour de semaine a donc lieu la Fête-Dieu ?

Réponse : un jeudi ! (Mais en France, l'Église a décidé de célébrer cette fête le dimanche suivant.)

À votre avis, quel est le jour où l'on se donne le plus de claques dans le dos ? Le 1er avril, bien sûr ! Pour coller des poissons, la meilleure méthode, j'en ai découpé un énorme. On va lui faire croire à la maîtresse. On va bien rigoler, des trucs dingues ! De toute façon elle ne pourra rien dire : Poisson d'Avril !

UNE ORIGINE MYSTÉRIEUSE

Douze jours après l'arrivée du printemps, un peu partout en Europe, les gens se découvrent soudain espiègles et farceurs.

Nul ne sait vraiment quand est née cette fête ; on connaît encore moins l'origine des fameux poissons. Dans l'Antiquité déjà, en Grèce, il existait une fête en l'honneur du dieu du rire. Il faut également se souvenir que le 1er avril fut longtemps le premier jour de l'année. C'était l'occasion de s'amuser pour célébrer le passage à la nouvelle année, comme on le fait aujourd'hui au réveillon de la Saint-Sylvestre.

POISSON D'AVRIL !

La tradition du poisson que l'on accroche dans le dos de son voisin serait d'origine française. Le 1er avril tombe généralement en plein Carême. Au Moyen Âge, durant cette période, les chrétiens ne mangeaient pas de viande, seul le poisson était autorisé. Faut-il y voir un pied-de-nez que les gens faisaient à l'autorité religieuse en se moquant de la seule nourriture permise ? Sans oublier que les personnes nées entre le 22 février et le 21 mars sont du signe du... Poisson ! Ou alors faut-il établir un rapport avec cette période de l'année où les poissons pondent, et où toute pêche est interdite ? Impossible de l'affirmer avec certitude.

À croire que le 1er avril est devenu à son tour un gros poisson d'avril...

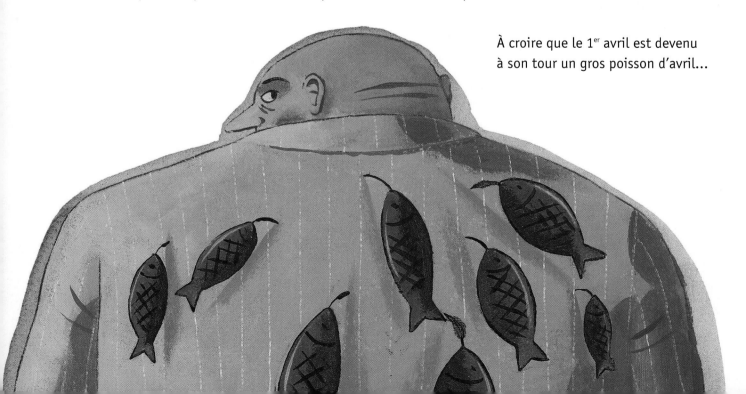

La fête du travail
1er mai

Fêter le travail, d'accord, mais en se reposant.
Quel paradoxe que ce 1er mai, jour chômé
pour rappeler la valeur du travail !
Mais pour que les hommes obtiennent ce droit,
la lutte fut longue
et parfois violente.

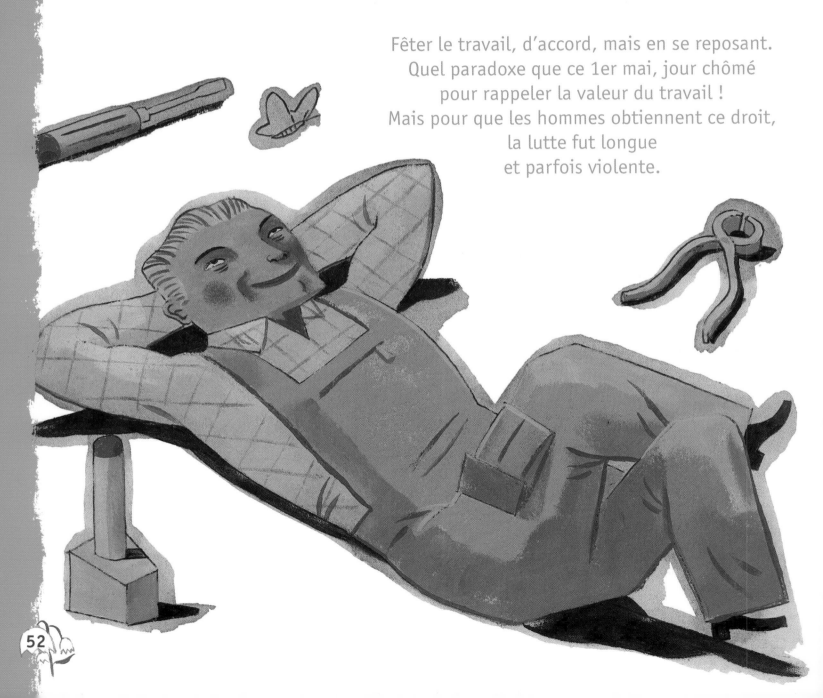

QUAND LES VACANCES N'EXISTAIENT PAS

Au début du XIXᵉ siècle, les grands pays occidentaux, comme la France, l'Angleterre, les pays germaniques ou flamands, mais aussi les tout nouveaux États-Unis d'Amérique, s'industrialisent très vite. On construit de gigantesques usines.

Les conditions de travail des ouvriers sont déplorables : hommes, femmes et même enfants travaillent douze à quinze heures par jour, sept jours sur sept, durant toute l'année. Les vacances n'existent pas, les jours fériés sont très peu nombreux, limités aux grandes fêtes religieuses.

LE DANGEREUX BILAN DU 1ᴱᴿ MAI

Traditionnellement, aux États-Unis, le 1ᵉʳ mai était le jour où les entreprises commençaient leur année comptable. Pour les patrons, c'était donc l'heure des bilans. Si les comptes étaient mauvais, les employés risquaient de se retrouver au chômage.

DES 1ᴱᴿ MAI MEURTRIERS

En 1886, les organisations ouvrières choisissent ce jour pour organiser une grève. Elles réclament huit heures de travail par jour, pas plus. À Chicago, cette grève se termine dans un bain de sang, qui provoque la mort de trois ouvriers. Le lendemain, une bombe explose et tue deux policiers. Un terrible massacre s'ensuit. Six militants ouvriers sont pendus.

UNE TRADITION SE CRÉE

Trois ans plus tard, en 1889, le Congrès international socialiste choisit le 1ᵉʳ mai comme journée internationale de revendication. Depuis, ce jour est marqué par des grèves et des manifestations, parfois sévèrement réprimées. Le symbole arboré par les ouvriers qui manifestent en défilant est un triangle rouge. Il symbolise la séparation de la journée en trois parties égales : travail, sommeil, loisir.

Quelques timides progrès

En 1841, bonne nouvelle : les enfants de moins de treize ans n'ont plus le droit de travailler ! Avant, cette interdiction ne concernait que les enfants de moins de huit ans ! À peine sortis du berceau, les enfants étaient jetés dans le monde du travail, au mépris de leur santé et de leur éducation. Il est vrai que l'école n'était pas encore obligatoire.

Autre petite révolution : en 1864, la grève n'est plus considérée comme un délit. Mais elle reste sévèrement réglementée.

Le dimanche n'a que 100 ans !

C'est seulement depuis 1906 que le dimanche, on se repose ! Avant, on travaillait 7 jours sur 7, plus de 8 heures par jour, et même le 1er mai !

Un jour chômé

En 1941, en France, le maréchal Philippe Pétain est au pouvoir. Le 1er mai correspond à la Saint-Philippe (aujourd'hui, cette fête a lieu le 3 mai). Le Maréchal saute sur l'occasion et transforme le sens de la journée : le 1er mai n'est plus l'occasion de revendications sociales mais un jour qui exalte la valeur du travail. Il faut attendre la fin de la Seconde Guerre mondiale pour que les choses changent. En 1947, le 1er mai devient une fête légale, chômée et payée.

DES MANIFESTATIONS OU DES PETITES VACANCES ?

Aujourd'hui, ce jour est célébré dans la plupart des pays industrialisés, sauf aux... États-Unis, où la fête du travail est célébrée le premier lundi de septembre. Ce qui permet aux travailleurs de bénéficier tous les ans d'un long week-end de repos !

LE MUGUET PORTE-BONHEUR

Fête du travail ou pas, le 1er mai est surtout connu pour son muguet. On raconte que le roi Charles IX offrit, le 1er mai 1561, quelques brins de muguet aux dames de la cour. Depuis le XVIIIe siècle, la coutume veut que le 1er mai on offre à celles et ceux que l'on aime un brin de muguet comme porte-bonheur. Après la Seconde Guerre mondiale, à l'invitation du journal communiste *L'Humanité*, les militants travailleurs se mirent à vendre au bord des routes des brins de muguet. Aujourd'hui, un décret autorise toute personne à vendre du muguet sur la voie publique... mais seulement le 1er mai !

Le 8 Mai

Un jour pour ne pas oublier une sombre période

LA FIN DE LA GUERRE

Le 8 mai 1945, l'Europe n'est plus qu'un vaste champ de ruines. Adolf Hitler, le chef du parti nazi, à la tête de l'Allemagne, s'est suicidé le 30 avril. La reddition est proche. Le 7 mai, le général américain Eisenhower reçoit la capitulation du général allemand Jodl, dans un lycée de Reims. Le lendemain, les armes se taisent, et la victoire des Alliés sur le régime nazi est signée dans un bunker de Berlin en ruine. La Seconde Guerre mondiale est terminée en Europe. Elle se solde par un bilan terrifiant: 55 millions de morts, 38 millions de blessés... Depuis 1953, en France, on commémore le 8 mai et la fin du régime nazi.

Les monuments aux morts

Cette journée, comme le 11 novembre, est marquée par un dépôt de gerbes devant les monuments aux morts de toutes les communes du pays. Après la Première Guerre Mondiale, entre 1920 et 1925, on construisit plus de 35 000 de ces monuments en France.

La fête des Mères

À l'école, ça fait déjà un mois qu'on prépare le cadeau de la fête des mères. Bien sûr, c'est top secret ! Je ne l'ai même pas dit à papa... Cette semaine, j'ai recopié ma poésie. J'avais fait des ratures, il a fallu recommencer. J'ai mis des ♥ partout ♥ ♥. Même si maman a hurlé, hier soir, quand elle a découvert que j'avais mis du feutre sur le tapis du salon, c'est quand même la plus belle maman du monde !

DES ORIGINES LOINTAINES

Dans la Rome antique, on honorait les femmes mariées, le 1er mars. Elles se rendaient au temple de Junon Lucina, la déesse qui amène les nouveau-nés à la lumière du jour, et recevaient de leurs maris des cadeaux et de l'argent de poche. En Angleterre, dès 1042, le « Mothering Day » avait lieu le 25 mars, jour de l'Annonciation, fête chrétienne où la Vierge Marie apprend qu'elle va avoir un fils, Jésus.

UNE FÊTE RÉCENTE

En 1914, aux États-Unis, le président institue une fête en l'honneur de toutes les mères. La même année, la Première Guerre mondiale éclate en Europe. Des soldats américains venus prêter main-forte aux Français répandent la tradition de la journée des Mères, qui sera adoptée dès la fin du conflit, en 1918. Il s'agit alors d'encourager la natalité. Les mères de familles nombreuses sont mises à l'honneur et reçoivent des médailles.

UNE FÊTE PATRIOTIQUE

Décidément liée aux graves conflits qui secouèrent le pays, la fête est promue en 1941 par le maréchal Pétain au rang de « Journée nationale des Mères ». Elle sert la politique du Maréchal, qui met en avant le patriotisme des familles françaises. Le 25 mai 1950, le président Vincent Auriol institutionnalise la fête des Mères.

DES FLEURISTES HEUREUX

Aujourd'hui, la fête des Mères est incontournable. Elle a lieu désormais un dimanche, fin mai ou début juin, en fonction de la fête de Pentecôte. Les fleuristes se frottent les mains : en France, on compte sept millions de mamans. Autant de bouquets de fleurs à offrir en une seule journée !

PAS FACILE DE CRÉER UNE FÊTE

Qu'elles soient traditionnelles ou créées pour la circonstance, les fêtes sont souvent pour les commerçants un très bon moyen de relancer leurs ventes. Mais ça ne marche pas toujours : qui connaît la Saint-Félix (12 février) décrétée en 1993 fête... des matous par la marque Félix, le fabricant d'aliments pour chats ? Ou encore la Sainte-Fleur (5 octobre), décrétée en 1998 fête du cœur par les marchands de fleurs ? Quand une fête se réduit à une opération commerciale, elle a toutes les chances de disparaître aussi vite qu'elle est apparue. En revanche, elle pourra durer si elle touche à des valeurs profondes comme l'amour et le partage, à des symboles cosmiques ou religieux. Et ça, ça ne se trouve pas à tous les coins de rues !

La fête des Pères

Et les papas, n'y ont-ils pas droit, eux aussi, à leur fête ? Contrairement à ce que l'on croit, ils furent fêtés avant les mères, puisque leur fête existe depuis 1910 aux États-Unis ! En France, elle aurait été lancée en 1949 par les briquets Flaminaire. Le fabricant incitait à offrir à son père un briquet. Les publicités pour les cigarettes n'étaient pas encore interdites. La date est fixée au troisième dimanche de juin.

La fête des grands-mères

En 1987, le groupe Kraft-Jacob-Suchard décide d'imiter l'astuce des briquets Flaminaire pour relancer les cafés « Grand-Mère ». Le premier dimanche de mars devient alors la fête... des grands-mères. La marque crée l'événement à grand renfort de publicité. Aujourd'hui, plus personne n'associe cette fête au café du même nom.

ÉTÉ

La fête de la Musique
21 juin

J'ai le trac ! Avec ma soeur, on a super mal au ventre depuis ce matin. Ce soir on joue devant tout le monde, place de la Mairie. Impossible de me souvenir de mon morceau. Pourtant, ça fait des mois qu'on répète tous les mercredis à l'école de musique. Quand je pense qu'il y aura Mamie, les parents, la maîtresse, et tous mes copains, j'en suis malade !

FAITES DE LA MUSIQUE !

L'été démarre par un gigantesque concert improvisé. Musique classique, chant choral, jazz ou rock, toutes les musiques sont à l'honneur et prennent d'assaut tous les lieux publics. Eh oui, le 21 juin, c'est la fête de la Musique, et ça s'entend !

UNE FÊTE RÉCENTE

Cette fête a été créée en France en 1982 sur une initiative de l'État. C'est le ministre de la Culture de l'époque qui l'a rendue populaire. Depuis, de nombreux pays l'ont adoptée. Tous les musiciens, amateurs ou professionnels, peuvent se produire là où ils le désirent, et c'est gratuit pour tout le monde ! Si l'on n'est pas doué, pas de panique : on peut toujours se promener dans les rues ou sur les places publiques pour applaudir les artistes.

Pas de fête sans musique

Sans fête, la vie serait triste, mais sans musique, les fêtes seraient encore plus tristes. Imagine-t-on un goûter d'anniversaire sans le « Joyeux anniversaire » ou, si l'on préfère, le « *Happy Birthday to you* », entonné à tue-tête ? Le jour de Noël sans l'inusable « Petit Papa Noël » ? Le 14 Juillet sans la Marseillaise ? « Et un, et deux, et trois, on est les champions ! » : impossible d'oublier la formidable liesse populaire, rythmée de klaxons et de pétards, qui a salué l'équipe de France de football, championne du monde en juillet 1998 ! La musique est partout, elle donne du peps à toutes les teufs.

La Saint-Jean

24 juin

La Saint-Jean est souvent oubliée
aujourd'hui, mais autrefois,
c'était une fête très attendue :
lorsque les soirées sont longues et douces,
au mois de juin, quel plaisir de danser
autour du feu !

LE SOLSTICE D'ÉTÉ

Au moment du solstice d'été, le 21 juin, le soleil se trouve, pour l'hémisphère Nord, à son plus haut point dans le ciel. C'est le jour le plus long de l'année. Dans les pays situés au nord du cercle polaire arctique, le soleil ne se couche même plus : c'est le fameux soleil de minuit.

LES FEUX DU SOLSTICE

Cette fameuse nuit du solstice d'été avait, disait-on, des vertus surnaturelles. Les hommes avaient coutume d'allumer de gigantesques feux cérémoniels. Cette tradition séculaire avait pour but de purifier la nuit des sorcières, des lutins et autres esprits follets.

UNE TRADITION CHRISTIANISÉE

L'Église jugea diabolique la pratique de ces grands feux païens. Elle s'empressa de les christianiser et décida de célébrer, le 24 juin, la fête de la naissance de saint Jean Baptiste.

Jean Baptiste, un homme de lumière

Avec le Christ et la Vierge, saint Jean Baptiste est le seul saint dont on célèbre la naissance. Habituellement, pour fêter un saint, on choisit la date de sa mort, c'est-à-dire sa « naissance au ciel ». On ne sait pas quand est né Jean Baptiste. L'Église a situé sa naissance au moment du solstice d'été. Ce choix est symbolique. Dans la Bible, il est écrit qu'au moment de baptiser Jésus dans le Jourdain, Jean Baptiste s'est exclamé : « Il faut que lui grandisse et que, moi, je diminue. » Jean Baptiste est comparé au soleil qui commence à décliner à partir du solstice d'été.

L'autre Jean, l'autre solstice

À l'inverse, le 27 décembre, au moment du solstice d'hiver, alors que les jours sont les plus courts, l'Église fête saint Jean l'Évangéliste. Au début de son évangile, Jean compare la venue du Christ à une lumière qui brille dans les ténèbres, comme le timide soleil de l'hiver. C'est pour cela qu'un dicton populaire dit que « Jean et Jean se partagent l'an ».

Allumer le feu !

La pratique des feux de la Saint-Jean n'a pas disparu. Le bûcher peut atteindre parfois vingt mètres de haut ! En général, on le construit sur des collines pour qu'il soit visible de très loin. On le décore de fleurs, de feuillages et de plantes aromatiques. Les petits malins y cachent aussi des marrons, qui exploseront sous l'effet de la chaleur. C'est le personnage le plus important du village ou de la ville qui fait craquer l'allumette. On chante et danse autour du feu. C'est pour cela qu'on appelle ces bûchers enflammés des « feux de joie ».

Un feu symbolique

Selon la tradition, les époux, fiancés ou amoureux sautent par-dessus le feu encore allumé pour que leur amour s'intensifie. Dans certaines régions, on faisait dévaler des collines des roues enflammées, qui terminaient leur course dans la rivière en contrebas. C'était une manière de signifier que la course du soleil s'arrêtait cette nuit-là.

Jean le Baptiste

Jean Baptiste était le cousin de Jésus. Il menait, comme les prophètes, une vie d'ascète sur les bords du Jourdain. Vêtu de peau de bête, il se nourrissait de sauterelles et de miel, et annonçait la venue du Royaume des cieux. Les gens venaient nombreux et lui demandaient le baptême. À cette époque, c'était une coutume assez répandue en Palestine. Même Jésus vint voir son cousin pour recevoir le baptême. La notoriété grandissante de Jean Baptiste inquiéta le roi de Jérusalem, Hérode Antipas. Il le fit emprisonner avant de le décapiter, en l'an 28.

Le 14 juillet

Tout le monde fait la grasse matinée aujourd'hui : c'est le 14 juillet. Cet après-midi, Papi nous emmène voir le défilé. Il va faire super chaud.

Et quand il fera nuit, tous au feu d'artifice ! Surtout pour le bouquet final. Après, on ira au bal. Avec ma copine, on va danser comme des folles.

Ce qui est génial, c'est qu'on va se coucher très tard !

LA FÊTE NATIONALE

Chaque pays a sa fête nationale. Elle correspond à une date très importante qui a marqué l'histoire du pays : la naissance d'un roi, la fête du saint patron à qui est confié le destin du pays, un événement historique comme une révolution ou un changement de régime politique. Cette fête définit ainsi l'identité patriotique du pays.

LA PRISE DE LA BASTILLE

En France, le 14 Juillet commémore la prise de la Bastille, qui eut lieu le 14 juillet 1789. Cet événement historique marque le début de la Révolution française. La Bastille, située à l'est de Paris, fut construite sous Charles V. On y enfermait les personnes qui s'opposaient à la politique du roi. La prise et la destruction de la Bastille par les révolutionnaires sont le symbole de la liberté.

La Marseillaise

En avril 1792, un officier français en poste à Strasbourg, Claude-Joseph Rouget de Lisle, compose un « Chant de guerre pour l'armée du Rhin ». Quelques mois plus tard, des Révolutionnaires de Marseille qui participent à l'insurrection du Palais des Tuileries, à Paris, reprennent ce chant. Le succès est tel que la « Marseillaise » est déclarée chant national le 14 juillet 1795. Elle accompagne aujourd'hui la plupart des manifestations officielles.

LE 14 JUILLET DEVIENT FÊTE NATIONALE

Le 14 juillet 1790, on rappela cet événement en organisant une immense « Fête de la Fédération ». En 1880, le président de la République le déclare fête nationale. C'est à la fin de la Première Guerre mondiale que le 14 Juillet devient une fête patriotique et militaire.

DES SOLDATS ET DES ARMES

Les défilés militaires sont l'occasion pour un pays de montrer sa puissance militaire. Il est loin, le temps où l'on faisait la guerre à cheval
Aujourd'hui, on regarde, fasciné par d'impressionnantes armes sophistiquées, comme les engins nucléaires, ces missiles électroniques, qui descendent sous bonne escorte l'avenue des Champs-Élysées. À croire que les armes ne font plus peur...

LE FEU D'ARTIFICE

C'est le bouquet final ! Bien plus gai que les chars et les canons, le feu d'artifice illumine la nuit d'été. Les feux du 14 Juillet sont célèbres. Cette technique, appelée aussi pyrotechnie, remonte au XVIe siècle, mais le premier grand feu d'artifice fut lancé le 7 avril 1615 à Paris, place des Vosges. C'était pour marquer le mariage de

L'Assomption
15 août

Le 15 août, c'est le fameux pont qui permet de prolonger ses vacances ! Mais c'est surtout la plus importante et la plus populaire des fêtes dédiées à la Vierge Marie. C'est d'ailleurs le jour de la Sainte-Marie.

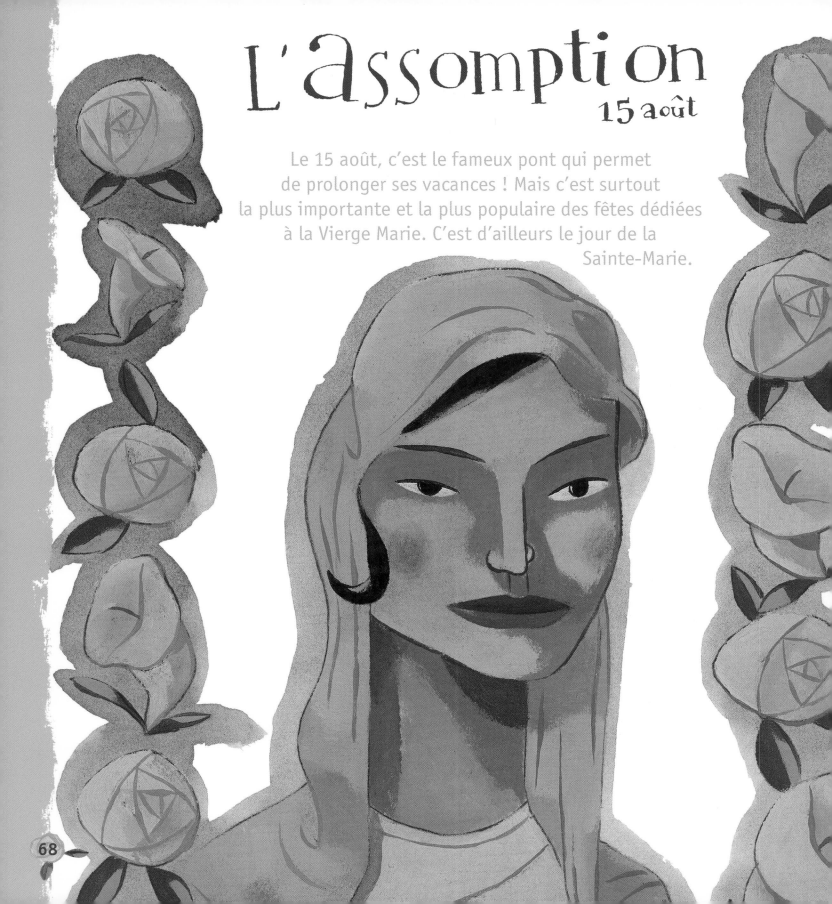

Marie rejoint Dieu

Ce nom, qu'il ne faut pas confondre avec « Ascension », vient du verbe latin *adsumere* qui veut dire « tirer à soi ». Les chrétiens rappellent en ce jour que la Vierge Marie, la mère de Jésus le Christ, a terminé sa vie terrestre et que Dieu l'a élevée auprès de lui, dans le ciel. Autrement dit, la Vierge Marie n'est pas morte, elle a seulement été « attirée » auprès de Dieu. D'ailleurs, les orthodoxes appellent cette fête la « Dormition de la Vierge ».

Une fête très ancienne

Cette fête connut très tôt un immense succès. Dès le IVᵉ siècle, les chrétiens organisaient de grandes processions en l'honneur de la Mère de Dieu. En France, cette tradition date de 1638. Cette année-là, le roi Louis XIII fit le vœu de consacrer le royaume à la Vierge Marie pour la remercier de lui avoir donné un enfant, alors que, marié depuis vingt-trois ans à Anne d'Autriche, il n'avait pas pu avoir jusqu'alors de descendant. L'enfant n'était autre que le futur Roi-Soleil, Louis XIV. Le roi ordonna que l'on organisât obligatoirement, le 15 août, de solennelles processions à travers tout le pays. Aujourd'hui, dans les monastères et dans les grands lieux de pèlerinage dédiés à Marie, comme Lourdes, on organise encore des processions ce jour-là.

Les fêtes à Marie

En dehors de l'Assomption, les chrétiens catholiques fêtent la Vierge Marie plusieurs fois dans l'année. Le 25 mars, on se souvient de l'Annonciation, le moment où l'ange Gabriel annonce à Marie qu'elle va avoir un fils, Jésus. Le 8 septembre, c'est la Nativité de la Vierge, sa naissance. La fête de l'Immaculée Conception, le 8 décembre, rappelle que Marie, dès les premiers instants de sa vie, a été préservée de tout péché.

Les bénédictions du 15 août

Dans certaines régions montagneuses, le 15 août, on transporte des statues de la Vierge à travers les alpages pour les déposer dans une petite chapelle, souvent située au sommet d'une colline. Cette tradition est fréquemment liée à la transhumance. Et c'est le 15 août, au bord de la mer, notamment en Bretagne, que les bateaux de pêche mais aussi de plaisance sont bénis par un prêtre.

Les fêtes de l'été

L'été est la saison idéale pour faire la fête. Les parents se détendent, les soirées sont longues, il fait bon, et les enfants ont souvent la permission de se coucher tard. Des manifestations très variées sont organisées : fêtes patronales, fêtes champêtres et festivals de musique, le choix est grand !

LES FÊTES PATRONALES

Ils sont nombreux, les villages qui célèbrent leur saint patron lors de fêtes votives, kermesses (mot qui veut dire « fête d'église » en flamand) ou ducasses (« fête de la Dédicace » en dialecte du nord de la France). Longtemps, ces fêtes étaient liées aux travaux de récolte : la moisson est engrangée, sortez les violons ! Les vendanges sont terminées, écoutez l'accordéon !

LA FÊTE FORAINE

Aujourd'hui, on n'a pas toujours les moissons en tête, mais on se presse pour le passage du défilé de chars fleuris, que l'on appelle encore « corso ». On admire les majorettes qui paradent au son de la fanfare municipale, avant de suivre les élections de la reine locale : sera-t-elle la miss France de cette année ? Le soir, place à la fête foraine : la grande roue, les autos-tamponneuses, les manèges, la barbe à papa... Parfois, il y a même une piste de danse pour le bal.

UN FESTIVAL ESTIVAL

On peut presque dire que l'été, c'est la saison des spectacles. Depuis les années quatre-vingt, de nombreuses villes ont créé leur festival, au cours duquel, pendant plusieurs jours ou même plusieurs semaines, les représentations se succèdent. On peut sortir tous les soirs !

Certains festivals se spécialisent dans l'opéra ou la musique baroque, d'autres dans le jazz, le rock, le rap. Le cinéma et le théâtre sont aussi à l'honneur. Les thèmes sont parfois surprenants : le roman policier, les marionnettes, les jardins... En Bretagne, on se bouscule dans les fest-noz pour danser sur les musiques celtiques. Les grandes fiestas du sud de la France rassemblent des milliers de fêtards au son de toutes les musiques du monde, de la salsa au raï.

LES FÉRIAS

Les férias sont également des fêtes très courues. Cette tradition est vivante dans le sud de la France, en Espagne, au Portugal. Un animal joue un rôle central dans ces manifestations : le taureau. Corridas, courses à la cocarde, toro-piscine... les règles sont différentes, mais le principe est toujours le même : lors de ces jeux de bravoure, hommes et taureaux s'affrontent dans les arènes ou sur les places. De la Camargue aux Pyrénées, le midi de la France se passionne pour ces férias, d'autant que, comme ailleurs, on en profite pour danser, chanter et faire la fête.

AUTOMNE

Halloween

Ce soir, c'est HALLOWEEN!

Avec mes copains, on va tous chez Arnaud pour une soirée monstrueuse. On a décidé de se balancer du ketchup sur de vieux tee-shirt. Avec un masque de fantôme et des dents de vampire que j'ai fabriqués à l'école ça le fera. Alex va me dessiner de fausses cicatrices. Génial! Je serai le plus horrible de la soirée. Seul problème: la mère d'Arnaud nous a préparé de la soupe à la citrouille. Et moi, la citrouille, c'est mon cauchemar! Les bonbons à la bave de crapaud ou les pattes d'araignée grillée, c'est bien meilleur...

AAAA A A A A H!

OUU!

74

UN PETIT VENT DE FOLIE

Bizarre, étrange... Depuis la mi-octobre, la citrouille est omniprésente dans les devantures des magasins, sur les affiches publicitaires et jusqu'aux menus des restaurants chics. Comble de l'horreur, le 31 octobre, les enfants sortent dans les rues déguisés en fantômes ou en squelettes, coiffés de chapeaux pointus de sorcières et découvrant dans un sourire de hideux dentiers de vampires. Et c'est à qui racontera la blague la plus horriiiiiible qui soit, l'histoire la plus terrrrrrrifiante que l'on puisse imaginer. Un vrai cauchemar !

UNE JOYEUSE FIN DE MOIS

Un cauchemar ? Mais non ! C'est Halloween, tout simplement ! Ce n'est qu'en 1996 que cette fête s'est vraiment installée en France. Elle y était apparue sur la pointe des pieds, aussi mystérieusement qu'un fantôme échappé du royaume des ténèbres. Et puis, très vite, la p'tite fête qui monte, qui monte a pris de l'ampleur, comme si le pays tout entier avait été ensorcelé par les mages, les vampires, les trolls et autres esprits malfaisants ! Désormais, le mois d'octobre est orange comme les citrouilles mûres, noir comme la peur, violet comme les capes des sorcières.

Les Celtes

Les Celtes sont un peuple qui vivait principalement en Irlande et en Bretagne.

UNE ANCIENNE FÊTE CELTIQUE

Mais si les Français, et avec eux tous les Européens, ont adopté Halloween, ils ne l'ont pas inventé, car Halloween est une fête très ancienne. Déjà cinq siècles avant Jésus Christ, les Celtes achevaient l'été par un rituel nocturne qui se déroulait la nuit du 31 octobre au 1er novembre. Cette fête s'appelait non pas « Halloween », mais « Samain ». Dans l'ancien calendrier celtique, Samain marquait la fin des récoltes, le retour des troupeaux à l'étable et le début de la nouvelle année.

Une fête religieuse

Cette nuit était avant tout une fête religieuse. Pour les Celtes, le jour de Samain était le seul jour de l'année où les morts pouvaient rencontrer les vivants. Les esprits des défunts de l'année revenaient chez eux une dernière fois avant l'arrivée de l'hiver. Pour les guider et pour les réchauffer, les druides allumaient de grands feux sacrés.

La fête des pauvres

Les portes des maisons restaient ouvertes à l'attention des esprits, et une place au coin du feu et un bon bol de porridge les y attendaient. Si un pauvre arrivait, il incarnait l'esprit du défunt. Les vagabonds passaient donc de maison en maison en chantant pour demander de l'argent et de la nourriture. C'était une manière originale d'entrer en communion avec les morts tout en restant solidaire des vivants.

Samain

Samain est un mot irlandais ancien qui signifie « assemblée, réunion », ou encore « la fin de l'été », *sam* désignant également l'été.

De Samain à Halloween

Les siècles passent, mais les traditions demeurent. En Grande-Bretagne et en Irlande, les druides ont laissé la place aux prêtres. Pourtant Samain est toujours fêté. Plutôt que d'interdire cette coutume, l'Église d'Angleterre décide de s'en accommoder. Elle institue au 1er novembre une nouvelle fête en l'honneur des morts et des vivants, le « Jour de tous les saints ». Les festivités païennes de la veille prennent alors tout naturellement le nom de « veille de la fête de tous les saints », en celte, « *All Hallows eve* ». Halloween naît ainsi de la rencontre des traditions celte et chrétienne.

LA LÉGENDE DE JACK'O LANTERN

En Irlande, lors de Halloween, on continue d'allumer des feux sacrés pour attirer les esprits des morts de l'année. Mais d'autres esprits se joignent à eux : lutins, gnomes, sorcières... Comment les effaroucher ? On fait appel à Jack ! Selon la légende, ce mauvais bougre était si avare que le jour de sa mort Dieu lui refusa l'entrée au ciel. Même le diable ne voulait pas de lui ! Jack fut donc condamné à errer sur terre jusqu'au jour du Jugement dernier avec, pour seul bagage, une citrouille grimaçante évidée de sa pulpe, dans laquelle il avait placé une petite bougie. On baptisa cette citrouille « Jack'O Lantern », la lanterne de Jack. La lumière blafarde qu'elle dégageait, les ombres inquiétantes qu'elle projetait suffisaient à éloigner les mauvais esprits nocturnes. Depuis, il n'est pas une maison irlandaise qui ne soit décorée de sa « Jack'O Lantern ».

UNE FÊTE QUI TRAVERSE L'OCÉAN

À la fin du XIXe siècle, une grave famine menace l'Irlande. De nombreux Irlandais émigrent aux États-Unis pour y chercher fortune. Ils emportent dans leurs bagages de nombreuses coutumes et traditions, et bien sûr la plus célèbre d'entre elles, Halloween.

HALLOWEEN « MADE IN USA »

Mais le voyage a bien changé la fête : outre-Atlantique, le sens de Halloween n'est plus le même. Il n'honore plus les morts, mais les enfants. Durant tout le mois d'octobre, ceux-ci se déguisent en monstres ou en sorcières et assaillent les maisons de leur quartier en quête de sucreries. Ils sonnent aux portes et lancent leur fameux cri de guerre : « *Trick or treat !* », ce qui veut dire, en anglais, à peu près : « Un sort ou des bonbons ! »

La citrouille

Orange vif, ronde comme un ballon de football, ou oblongue comme un ballon de rugby, plantureuse, parfois de taille spectaculaire, le plus souvent grosse comme une tête humaine, la citrouille a le sens de la fête. Pourtant, ce légume, qui appartient, comme le potiron ou le potimarron, à la famille des cucurbitacées, ne possède pas de vertus particulières. S'il est devenu l'emblème de Halloween, c'est tout simplement parce qu'on le récolte en cette période de l'année. Les marchands, eux, se frottent les mains : se faire de l'oseille avec de la citrouille, quel formidable tour de passe-passe !

La fête retraverse l'océan !

Cette tradition était tombée dans l'oubli en Europe. Pourtant, depuis quelques années, Halloween y connaît un grand succès. Mais comment cette fête a-t-elle (re)pris racine en France ? En 1992, le chef d'une petite entreprise lyonnaise spécialisée dans le déguisement rachète un concurrent qui possède une filiale à New York. Là-bas, les marchands de déguisements font leurs meilleures affaires à la période de Halloween. Bien inspiré, il lance la mode en France. Quatre ans plus tard, la greffe de la citrouille a réussi. Aujourd'hui, peut-on imaginer un 31 octobre sans citrouille ni masque de sorcière ? Ce serait aussi triste qu'un jour des morts... et pourtant, à l'origine, c'était bien une fête des morts !

Une fête monstre

Le soir du 31 octobre, la fiesta d'enfer peut commencer, avec ses rondes de sabbat, ses mascarades de squelettes et ses cavalcades de vampires. Question frissons, petits et grands sont généreusement servis. Mais derrière tout ce tintamarre, que célèbre-t-on exactement ? Qu'on ne s'y trompe pas : la fête de Halloween n'a plus rien à voir avec ses lointaines origines celtes. Aujourd'hui, la fièvre de Halloween répond avant tout à l'appel du tiroir-caisse des vendeurs de déguisements, de farces et attrapes, et de bonbons. Quelle aubaine pour eux que nous soyons si fascinés par le monde des ténèbres et de la mort ! Aujourd'hui, curieusement, la mort fait davantage peur qu'au temps des Celtes. On la cache de peur d'effrayer les enfants, et on préfère s'inventer tout un monde de ténèbres, le monde de Halloween !

la Toussaint
et le jour des morts
1er et 2 novembre

La Toussaint, qui devrait être une fête de joie et d'allégresse,
est devenue une triste commémoration des morts, avec passage obligé
sur la tombe des défunts de la famille. Car, deux fêtes se suivent
et se confondent : celle des saints et celle des morts. Pas de quoi rire !

NOVEMBRE, LE MOIS DES MORTS

Le mois de novembre, c'est déjà presque l'hiver ! « À la Toussaint, le froid revient et met l'hiver en train », disait-on. Le soleil décline et la lumière du jour perd de sa vivacité. Depuis toujours, les hommes étaient angoissés à l'idée que le soleil disparaisse définitivement. C'est pour cela que le mois de novembre s'est chargé de nombreuses fêtes du souvenir des morts.

CHANGEMENTS DE DATES

À l'origine, la Toussaint n'était pas célébrée en novembre, mais en plein mois de juin. Au début du VIIe siècle, le pape Boniface IV fixe cette fête au 13 mai. En 875, changement de saison : « Ce sera le 1er novembre ! » décrète solennellement le pape Grégoire IV.

TOUS SAINTS !

Pour les chrétiens, la Toussaint est la fête de tous ceux qui ont témoigné de l'Évangile jusqu'à la mort. Au début, elle concernait surtout les martyrs. Puis, quand les chrétiens ne furent plus persécutés, on honora la mémoire des personnes qui avaient mené une vie exemplaire. Aujourd'hui, l'Église a déclaré martyres et saintes plus de 40 000 personnes ! Cela en fait du monde, au paradis !

Mais la Toussaint, c'est aussi la fête de tous ceux qui sont restés inconnus ainsi que la fête des chrétiens vivants, considérés comme des « saints » en devenir.

APRÈS LES SAINTS, LES DÉFUNTS, LE 2 NOVEMBRE

En 998, saint Odilon, l'abbé de Cluny, la plus grande abbaye de toute la chrétienté, établit au 2 novembre une messe solennelle « pour tous les morts qui dorment en France ». Le jour des morts connaît un immense succès. Après avoir fêté tous les saints la veille, on fête tous les morts.

Le 2 novembre, la foule envahit les cimetières. Les familles se recueillent sur les tombes d'un parent proche et y déposent des bouquets de chrysanthèmes.

Martyr

Dès le Iᵉʳ siècle, les Romains ont persécuté les chrétiens en les condamnant à mort. Les supplices étaient terrifiants : on livrait hommes, femmes et enfants aux fauves, au feu ou aux chaînes. Ces chrétiens qui sont morts en raison de leur foi en Dieu sont appelés des martyrs.

Le chrysanthème

Cette fleur, qu'on appelle parfois la marguerite des morts, nous vient du Japon et symbolise l'immortalité.

Jour férié

En France, si la Toussaint est un jour férié, ce n'est pas en raison de son contenu religieux. En effet, ce jour a été choisi en 1886 par la République pour rendre un vibrant hommage aux morts pour la patrie.

Le 11 Novembre

Le 11 Novembre, comme le 14 Juillet et le 8 Mai, est en France une fête qui rappelle un événement historique très important pour la vie du pays.

L'ARMISTICE DU 11 NOVEMBRE 1918

À la onzième heure du onzième jour du onzième mois de l'année 1918, après plus de quatre années de guerre, l'Allemagne renonce à poursuivre le combat qui l'oppose à la France. « Il est temps que les armes se taisent ! » clame-t-on de toutes parts. C'est le sens du mot« armistice ». Il sera signé dans un wagon-restaurant stationné à Rethondes, en plein cœur de la forêt de Compiègne. La paix, elle, ne sera signée qu'en juin 1919, au château de Versailles.

LA FIN DE LA « DER DES DER »

À Paris, onze coups de canon sont immédiatement tirés, tandis que les cloches de tout le pays se mettent en branle. Dans les rues, c'est la liesse. Cette guerre, le premier conflit mondial, fut une véritable boucherie. Six millions de morts, un million et demi rien qu'en France, soit plus de 20 % de la population active ! Pour beaucoup, hélas, la joie est ternie par le chagrin de ne plus revoir les leurs, morts au combat. Mais tous les espoirs sont permis : « Cette guerre sera la der des der, la dernière de toutes les guerres », proclame-t-on, euphorique. Malheureusement, il est difficile de lire l'avenir. Vingt ans plus tard, une nouvelle guerre commence...

LE DÉFILÉ DU 11 NOVEMBRE

Tôt le matin, des défilés militaires ont lieu dans les villes du pays. Le plus important se déroule à Paris, sur les Champs-Élysées. Le président de la République se rend sous l'Arc de Triomphe pour ranimer la flamme sur la tombe du soldat inconnu pour signifier que tous ceux qui sont morts sur le champ d'honneur, quel que soit leur pays d'origine, ont accompli leur devoir de soldat et qu'à ce titre ils méritent le plus grand respect.

Le soldat inconnu

C'est le 11 novembre 1920 que le corps d'un soldat qui n'avait pas pu être identifié fut choisi à Verdun par Auguste Tain, orphelin de guerre et rescapé du 132ᵉ Régiment d'Infanterie, pour être inhumé sous l'Arc de Triomphe.

83

La Sainte-Catherine

25 novembre

Catherine, on l'aime bien !
Et surtout son célèbre chapeau !
Mais il est difficile de faire la part entre
la vérité historique et la légende.

Catherine

Depuis la réforme du calendrier liturgique en 1969, ce n'est plus Catherine d'Alexandrie qui est fêtée le 25 novembre, mais Catherine Labouré, une humble fille devenue religieuse. La Vierge lui apparut en 1830, rue du Bac, en plein cœur de Paris.

PRINCESSE CHERCHE PRINCE CHARMANT

Née à Alexandrie, en Égypte, à la fin du IIIe siècle, Catherine appartient à la famille royale. Belle et intelligente, fort instruite, elle se convertit au catholicisme. Elle rêve alors d'épouser un prince charmant tout à son image, superbe et intelligent. Mais même pour une princesse, c'est difficile à trouver !

UNE FORTE TÊTE

Catherine décide alors de vouer sa vie à Dieu. L'empereur romain voit cela d'un très mauvais œil. Il lui ordonne de renier sa foi et de rendre un culte aux idoles du pays. Catherine refuse. Face à une armée de philosophes qui veulent lui prouver que son Dieu n'existe pas, elle a réponse à tout. L'empereur perd patience, et Catherine est condamnée à subir le martyre. Mais elle ne succombe ni au fouet plombé ni à la roue armée de pointes acérées qui doit déchirer son corps. Le 25 novembre, on finit par la décapiter.

UNE PATRONNE COURTISÉE

Le culte de Catherine connaît une grande popularité. De nombreuses confréries la choisissent pour patronne : les artisans qui utilisent des machines à roue, comme les meuniers ou les potiers ; les barbiers, en souvenir des lames qui lui avaient coupé la tête ; les prisonniers, pour rappeler son long séjour au cachot.

LES CATHERINETTES

Mais celles qui se confient le plus à cette sainte, ce sont les jeunes filles en quête de mari ! « Ô sainte Catherine, l'invoquaient-elles, donne-nous l'homme qui nous conviendra. » Ce culte populaire se développe à partir du XVe siècle. Depuis, tous les 25 novembre, les jeunes filles qui n'ont pas de fiancé et qui ont eu ou auront vingt-cinq ans dans l'année « coiffent sainte Catherine » en couronnant sa statue.

LA COIFFE

Au XIXe siècle, à Paris principalement, le milieu de la haute couture s'empare du culte de sainte Catherine. Désormais, les catherinettes sont invitées à revêtir elles-mêmes la « coiffe de sainte Catherine ». Traditionnellement, elle se présente sous la forme d'un bonnet à rubans verts et jaunes. Le jaune est la couleur du mariage qui tarde. Le vert symbolise l'espérance d'un mariage à venir, mais cette couleur est aussi synonyme de liberté. Aujourd'hui, coiffées de chapeaux de plus en plus extravagants, les catherinettes sont invitées le soir à un grand bal. Certains garçons en profitent alors pour les embrasser vingt-cinq fois !

Les fêtes juives

Pour les juifs, l'automne est un vrai festival ! Quatre fêtes religieuses marquent cette saison.

ROCH HACHANA, LE NOUVEL AN

L'année juive démarre en fanfare, non pas le 1er janvier mais le premier jour du mois de *tichri*, qui court sur les mois de septembre et d'octobre. Roch Hachana, c'est-à-dire le Nouvel An juif, rappelle le jour de la création du monde qui, selon la tradition juive, a eu lieu en 3751 avant Jésus Christ.

UN RÉVEILLON DE FÊTE

La veille de la fête, toute la famille se rend à la synagogue, recouverte de tentures blanches qui symbolisent la purification et l'innocence. De retour à la maison, le père récite une bénédiction sur le pain et le vin. Puis il distribue des tranches de pain que chacun trempe dans du miel. Ce geste signifie que l'on souhaite une année aussi douce que le miel. Au menu du repas qui suit, encore du miel, mais aussi des dattes, des pommes, une citrouille, du poisson ou de la tête de veau. La douce saveur de ces aliments augure une bonne année.

YOM KIPPOUR, LE GRAND PARDON

Pour les juifs, Yom Kippour, qui veut dire « Grand Pardon », est le jour le plus saint du calendrier. Dix jours séparent Roch Hachana et Yom Kippour, dix jours de pénitence qui commencent par un jeûne. C'est une manière de se tourner vers Dieu et de rappeler combien la vie de l'homme est brève. La veille de la fête, on sert un dîner copieux. Le jour de Yom Kippour, les fidèles s'habillent en blanc. À la synagogue, ils prient, se repentent pour le mal commis et promettent à Dieu de ne plus s'écarter du droit chemin.

Le bouquet de Soukkôth

Le premier jour de Soukkôth, on compose le *loulav*, un bouquet qui symbolise les différentes catégories de juifs. Le saule représente les mécréants ; les feuilles de myrte, ceux qui connaissent la Torah ; la branche de palmier, les juifs qui appliquent les commandements ; et le cédrat, le juif idéal.

SOUKKÔTH, LA FÊTE DES TENTES

Quatre jours après le Yom Kippour, voici la fête de Soukkôth, c'est-à-dire la « fête des Tentes » ou encore la « fête des Cabanes ». Ce jour-là, dans son jardin, sur son balcon ou dans l'appartement, on construit une cabane, la soukka, décorée de riches tentures et de nombreux fruits. Cette coutume originale rappelle l'époque où les Hébreux ont erré dans le désert, quarante années durant, sans terre ni maison. Aujourd'hui, Soukkôth est l'occasion de faire exploser sa joie. La fête dure huit jours. Elle se termine dans la liesse, manifestée par des rondes chantées et dansées. Cette joie traduit le bonheur des juifs de posséder la Torah.

HANOUKKA, LA FÊTE DE LA LUMIÈRE

Au début du mois de décembre, plus exactement dans la semaine qui s'étend du 25 *kislev* (novembre) au 3 *teveth* (décembre), les juifs célèbrent Hanoukka, la « fête de la Dédicace », appelée aussi « fête de la Lumière ». Hanoukka rappelle un événement important dans l'histoire du peuple juif. Deux siècles avant Jésus Christ, le juif Mattathias Maccabée, avec l'aide de ses cinq garçons et de sa sœur Judith, remporte une importante victoire sur le Syrien Antiochus Épiphane, qui voulait dominer Israël. Dans le grand Temple de Jérusalem, les fidèles victorieux ôtèrent tous les objets païens et voulurent rallumer les lumières en l'honneur de Dieu. Mais ils ne trouvèrent qu'une toute petite lampe à huile, qui n'aurait dû brûler qu'un seul jour. Elle brûla par miracle pendant huit jours, le temps qu'il fallait pour fabriquer une nouvelle réserve d'huile.

LE CHANDELIER À HUIT BRANCHES

Pour perpétuer ce souvenir, les juifs allument la 'hanouquia, le chandelier à huit branches. Le premier soir, on commence par la bougie de droite, le deuxième soir, on allume la deuxième bougie, et ainsi de suite. Quand vient le huitième et dernier soir, la joie éclate. On s'échange des cadeaux tandis que les enfants dégustent des laitages en hommage à la pureté de Judith et des pâtisseries à base d'huile en souvenir du miracle de la lampe à huile du Temple.

Les juifs ne sont pas les seuls à fêter la lumière. La saison s'y prête et un peu partout, on observe de semblables coutumes. À la Sainte-Lucie, le 13 décembre, en Suède, on éclaire la maison en allumant de nombreuses bougies. Pourquoi Lucie ? La sainte n'y est pour rien, si ce n'est son nom : Lucie vient du latin *lux* qui veut tout simplement dire « lumière »...

Lyon, la ville-lumière

À Lyon, le 8 décembre, fête de l'Immaculée Conception de la Vierge, les habitants laissent brûler, sur les rebords de fenêtres, de petits lumignons multicolores. Cette tradition est née le 8 décembre 1852. Ce jour-là, une statue de la Vierge devait être inaugurée. Les Lyonnais avaient préparé la fête en illuminant les façades des maisons. Mais un violent orage survint, menaçant toute cette organisation. Par miracle, les pluies cessèrent juste à temps. Depuis lors, les Lyonnais ont pris l'habitude d'allumer des bougies en souvenir de cet événement. Cette fête connaît aujourd'hui un grand succès, et les touristes se rendent nombreux pour admirer cette explosion de lumières dansantes.

89

LES FÊTES QUI N'ONT PAS DE SAISON

Certaines fêtes peuvent tomber aussi bien en hiver qu'en été, en automne ou au printemps, selon les années. C'est le cas des fêtes musulmanes.

Et puis, il y a aussi toutes les fêtes qui concernent la famille et les amis, celles que l'on s'empresse de marquer sur son calendrier personnel.

Découvre-les dans les pages suivantes.

Mon anniversaire

Cher Théophile,

c'est mon anniv' !!
Je t'invite chez moi samedi
à 15 heures. N'oublie pas de te
déguiser, il y aura des bonbons,
des jeux, de la musique, et un
énorme gâteau !   Bis TP

JOUR DE NAISSANCE, JOUR DE GLOIRE !

Fêter son anniversaire, c'est rappeler qu'on est né ce jour-là. Évidemment ! Pourtant, cette fête n'a pas toujours été célébrée, et encore aujourd'hui, elle reste une tradition surtout ancrée en Europe et en Amérique.

LA BIBLE, ENCORE !

C'est dans la Bible qu'on trouve les premières traces des anniversaires. Cette tradition ne concernait que les grands hommes : le pharaon, l'empereur ou les rois. Pour célébrer avec faste le jour de leur naissance, ils offraient à leurs serviteurs et servantes un somptueux repas. On ne consignait jamais la date de naissance des gens ordinaires. On ignore ainsi quand sont nées de nombreuses personnalités, à commencer par Jésus lui-même. Les juifs voyaient d'un mauvais œil cette coutume, qu'ils jugeaient païenne et qui serait d'origine égyptienne.

NOUS SOMMES TOUS ENREGISTRÉS QUELQUE PART !

Au Moyen Âge, à partir du XIIe siècle, les paroisses se mirent à enregistrer les dates de naissance des femmes et des enfants. Aujourd'hui, la date de naissance est utilisée pour répertorier les gens : elle est sur notre carte d'identité, sur notre passeport, sur les fiches de l'école. Grâce à elle, entre autres, on peut distinguer deux personnes qui portent le même nom et le même prénom !

Cadeaux d'anniversaire

Tout le monde aime recevoir des cadeaux le jour de son anniversaire. Pour celui qui offre le cadeau, c'est une manière de témoigner son affection et de rappeler son amitié. Cette tradition remonte au XIIe siècle, période où on commença à fêter les anniversaires en Europe. Avec Noël, la fête des Mères ou la Saint-Valentin, les occasions d'offrir et de recevoir des cadeaux ne manquent pas dans l'année !

LE GÂTEAU

Heureusement qu'on a décidé de noter la date de naissance dans un registre, sinon, il n'y aurait pas eu de gâteau d'anniversaire... Cette habitude mit beaucoup de temps à entrer dans les mœurs ; mais, aujourd'hui, pas d'anniversaire sans gâteau !

LES BOUGIES

Selon les croyances populaires, le gâteau d'anniversaire et ses bougies, au nombre des années fêtées, ont pour but d'apporter la chance et le bonheur. Encore aujourd'hui, on dit que l'année se passera bien si l'on parvient à souffler d'un seul coup toutes les bougies. Plus on vieillit, plus c'est difficile !

Ma fête

UN PRÉNOM, C'EST IMPORTANT !

Nous avons tous un prénom. En Occident, ce sont le plus souvent les prénoms bibliques. D'abord tirés de l'Ancien Testament, comme Daniel, David ou Siméon, ils seront supplantés par des prénoms du Nouveau Testament – Marie, Anne, André, Jean ou Pierre –, puis par ceux des saints et des martyrs. Au XVIe siècle, le pape demande que les enfants reçoivent obligatoirement lors de leur baptême le nom d'un saint, qui leur servira de modèle. Ce sera leur saint patron et leur protecteur.

Le jour de l'année où il figure au calendrier, c'est la fête de tous ceux qui portent son nom !

Pas de chance pour les Valentin, les Patrick ou les Sylvestre, qui doivent partager leur fête avec tout le monde !

vive la mariée !

Dimanche, la cousine de papa se marie. Elle m'a
choisie comme demoiselle d'honneur ! Ma robe,
c'est mamie qui l'a cousue. J'ai aussi des sandales
vernies, et des barrettes à fleurs. Avec Mathilde, on
va tenir la traîne de la mariée pour entrer dans l'église.
On est très fières. La mariée a déjà essayé sa robe.
Elle est magnifique, on dirait une princesse. Ce
que j'aime dans les mariages, c'est quand les
mariés s'embrassent... c'est l'amour ! ♡ ♡ ♡

UNE FÊTE DE L'AMOUR

Oh, les a-mou-reux, oh, les a-mou-reux !

Quand deux personnes sont très amoureuses, elles éprouvent parfois le besoin de s'engager devant tout le monde à s'aimer pour toujours. Cet engagement officiel, c'est le mariage. Tous les couples qui se marient se font cette promesse devant la société, à la mairie. Certains le font aussi devant Dieu, à l'église.

Il y a des tout petits mariages qui réunissent seulement les mariés et leurs témoins. Il y a de très grands mariages, en présence de toute la famille, tous les amis, et l'entourage du couple. Parfois, des centaines de personnes sont invitées, et la fête dure très longtemps. Après la cérémonie, on mange, on danse jusqu'au bout de la nuit, ou même pendant plusieurs jours !

DEVANT MONSIEUR LE MAIRE

Le mariage, c'est officiel. En France, pour se marier, il est obligatoire de passer par la mairie. Dans la grande salle du conseil municipal, le maire lit au couple, à leurs témoins et à toute l'assemblée un extrait du Code civil qui concerne les droits et les devoirs des personnes mariées. Puis il déclare ces deux personnes unies par les liens du mariage. Selon la loi, elles constituent désormais un couple. Les mariés, les témoins et le maire signent un acte de mariage. Le maire remet au couple leur livret de famille.

POURQUOI FAUT-IL DES TÉMOINS ?

Lors de leur mariage, les amoureux doivent chacun répondre à une question : « Voulez-vous prendre Monsieur Grégoire pour époux ? Voulez-vous prendre Mademoiselle Laure pour femme ? » Les témoins sont là pour dire : « C'est vrai, nous avons bien entendu que Laure et Grégoire ont répondu "oui" sans y être forcés. »

À la fin de la cérémonie, sur le parvis de l'église ou de la mairie, la mariée lance parfois son bouquet à ses amies. On dit que la jeune fille qui attrape ce bouquet sera la prochaine à se marier. Rendez-vous dans un an !

LE MARIAGE CHRÉTIEN

La cérémonie religieuse se déroule habituellement un samedi. La mariée est traditionnellement vêtue de blanc, symbole de virginité. Les mariés se retrouvent à l'église, face à l'autel. Ils s'engagent devant Dieu à s'aimer toute leur vie en restant fidèles, et à élever leurs enfants selon les valeurs chrétiennes. Le prêtre, le pasteur ou le pope reçoit leur consentement. Il bénit ensuite les alliances que les époux s'échangent. Quand le couple sort de l'église, les invités lui jettent du riz, des confettis ou des pétales de roses.

LE MARIAGE JUIF

La mariée est vêtue de blanc. Pendant la cérémonie, qui a lieu à la synagogue, habituellement le dimanche, les époux se tiennent sous la *houpa*, une sorte de grande toile de tissu blanc qui symbolise le foyer qu'ils vont créer. Le rabbin fait la lecture de la *ketouba*, le contrat de mariage, et prononce les sept bénédictions nuptiales. Ensuite, le marié écrase un verre sous son pied en souvenir de la destruction du temple de Jérusalem, en 70 après Jésus Christ, qui obligea les juifs à quitter la Palestine et à vivre dispersés à travers le monde.

LE MARIAGE MUSULMAN

Avant de marier leurs enfants, les familles échangent des bijoux et des étoffes. La cérémonie se déroule à la mosquée ou à la maison. La mariée porte un pantalon et une tunique somptueuse. Elle doit dire oui à trois reprises ; puis le marié signe le contrat. La famille de la mariée offre ensuite le festin des noces.

Après la cérémonie

Ça y est, les mariés sortent de la mairie ! Ça y est, ils quittent l'église ! On prépare les appareils photos, les grains de riz ou les pétales de fleurs. Vive la mariée ! Vive le marié ! Qu'ils sont beaux tous les deux dans leurs vêtements inhabituels ! Et le chignon de la mariée, il tient toujours ? Les enfants d'honneur courent partout et jouent à cache-cache parmi les invités. Tout le monde suit le couple jusqu'à l'endroit où la fête continue. Quelle longue file de voitures, quel concert de klaxons ! Quand le village est petit, on s'y rend parfois à pied, dans ses beaux habits du dimanche. Joyeux cortège !

Le repas de noces

Pas de mariage sans grand repas ! C'est l'occasion de réunir les familles pour marquer leur unité. Parfois, le père de la mariée fait tinter son verre avec un couteau pour demander le silence : il va faire un discours. D'autres chantent, ou présentent des sketches.
En France, le clou du repas, c'est la fameuse pièce montée. Les choux à la crème sont empilés et collés avec du caramel, jusqu'à former une grande pyramide, au sommet de laquelle sont piqués deux petits mariés en sucre ! Qu'est-ce que c'est bon ! Parfois, on distribue des dragées, roses, blanches ou argentées, qui symbolisent les douceurs de la vie à deux.
Et quand on a tout mangé, on danse !

L'anneau au doigt

Quelques mois avant le mariage, certains hommes offrent à leur amoureuse une bague de fiançailles : elle symbolise la promesse de mariage. C'est romantique ! Les alliances échangées lors du mariage symbolisent la fidélité que les mariés se promettent.

Ma communion

Les fêtes d'initiation religieuse

Dans certaines religions, il existe des cérémonies qui marquent le passage de l'enfance à l'âge adulte. Chez les catholiques, cette fonction est remplie par la communion solennelle. Chez les juifs, c'est la bar-mitzvah.

LA PREMIÈRE COMMUNION

La communion, qu'on appelle aussi l'eucharistie, est un sacrement, c'est-à-dire un acte qui rappelle au croyant que Dieu est présent dans sa vie.

Le jour de sa première communion, l'enfant reçoit pour la première fois le Corps du Christ, sous la forme d'une hostie qui symbolise la présence de Dieu parmi les hommes.

Au fil des siècles, l'âge auquel les chrétiens communient pour la première fois n'a cessé de changer : à certaines époques, c'était lors de leur baptême, puis à sept ans ou même à douze...

On appelle ce sacrement « première communion », ou « communion privée ». Les enfants s'y préparent au catéchisme.

LA PROFESSION DE FOI

Au début du XXᵉ siècle, pour marquer la fin de la période du catéchisme, l'Église propose une nouvelle fête. Ce sera la communion solennelle. Aujourd'hui, on appelle cette fête renouvellement des promesses du baptême, communion solennelle ou encore profession de foi. Ce jour-là, les communiants revêtent une aube blanche en souvenir de leur baptême. À l'église, ils réaffirment leur foi en Dieu pour toute leur vie.

Ils reçoivent ensuite de nombreux cadeaux, parfois coûteux. Ce ne sont plus des jouets d'enfants, mais des objets qui montrent qu'on est devenu une grande personne ! Le caractère commercial de cette fête dérange certains chrétiens.

Ma Bar-Mitzvah

MA BAR-MITZVAH

Pour les juifs, la bar-mitzvah est un grand événement. Cette cérémonie signifie que l'enfant a atteint sa majorité religieuse, c'est-à-dire qu'il a désormais le droit de commenter la Torah et de réciter les bénédictions.

DOUZE ANS POUR LES FILLES...

Le lendemain de son douzième anniversaire, la jeune fille devient *bat mitzvah*, c'est-à-dire « fille du commandement ». La cérémonie a lieu à la maison. Ce jour-là, elle doit réciter les treize articles de la foi juive fixée par un théologien, Maïmonide.

... TREIZE ANS POUR LES GARÇONS !

Le garçon, lui, doit attendre le shabbat qui suit son treizième anniversaire pour devenir « fils du commandement ». Il se rend avec sa famille à la synagogue, où il lit un passage de la Torah. On lui donne ensuite un châle de prière fait de laine et de soie, le *tallit*, qu'il revêtira chaque fois qu'il priera. De retour à la maison, le garçon reçoit de nombreux cadeaux.

La Torah

En hébreu, ce mot veut dire « Loi écrite ». Elle correspond aux cinq premiers livres de la Bible, qui contiennent l'ensemble des lois observées par les juifs.

Le shabbat

Le shabbat est célébré le septième jour de la semaine, qui pour les juifs correspond au samedi. En hébreu, ce mot veut dire « repos ». Les juifs ne travaillent pas ce jour-là en souvenir du septième jour de la Création, où, selon la Bible, Dieu se reposa.

101

Les fêtes musulmanes

Les grandes fêtes musulmanes n'ont pas lieu à des dates fixes.
En effet, l'année musulmane suit le calendrier lunaire. Cela veut dire
qu'un mois dure vingt-neuf jours et demi.
Les dates des fêtes se décalent chaque année et sont donc indépendantes
des saisons. Une fête célébrée en plein hiver sera célébrée,
quelques années plus tard, au printemps ou en plein été.

LE JEÛNE DE RAMADAN

Le ramadan est le neuvième mois de l'année musulmane. Il est
entièrement consacré au jeûne. Du lever au coucher du soleil, le
croyant se prive de nourriture, s'abstient de boire et de fumer. La
nuit, le jeûne est rompu. On invite alors des amis pour faire la fête
autour d'un grand repas.

Pour les musulmans, le mois de ramadan est sacré. Il commémore la
révélation du message de Dieu au prophète Mohammad. Ce message
est retranscrit dans le livre sacré des musulmans : le Coran. En
jeûnant, le croyant purifie son âme et se rapproche de Dieu.

'AID AS-SAGHIR : LA « PETITE FÊTE »

Cette fête n'a pas de signification religieuse. On la célèbre pour marquer la fin du jeûne de ramadan. C'est pour cela qu'on l'appelle aussi « fête de la Rupture » ou encore « fête des Douceurs ». Le matin, tous les membres de la famille revêtent des habits de fête neufs. Ils se rendent à la mosquée, puis se retrouvent pour un copieux repas, où l'on sert souvent du couscous et une multitude de friandises. Les enfants reçoivent des cadeaux.

'AID AL-KABIR : LA « GRANDE FÊTE »

Soixante-dix jours après la « Petite Fête » a lieu la « Grande Fête », qu'on appelle aussi la « fête du Sacrifice ». Pour les musulmans, c'est la fête la plus importante de l'année. Elle est l'occasion de demander pardon à Dieu et aux hommes pour les fautes commises. Cette fête fait référence à un épisode de la vie d'Abraham, que les musulmans reconnaissent comme le Père des Croyants. Dans cet épisode, Dieu ordonne à Abraham d'immoler son fils (pour les musulmans, c'est Ismaël ; dans la Bible, c'est Isaac), mais au dernier moment, alors qu'Abraham est prêt à accomplir le sacrifice, il lui demande de remplacer son fils par un bélier.

C'est pour commémorer cet événement que dans chaque famille, on tue ce jour-là un mouton ou un agneau par personne. Ensuite, le chef de famille partage la viande en trois portions : la première sera consommée au cours de la fête, la deuxième offerte aux pauvres, la troisième donnée aux voisins.

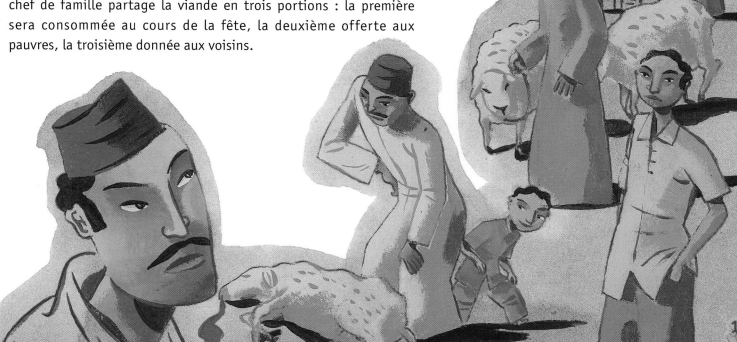

Mon calendrier à moi

Janvier	Février	Mars	Avril	Mai	Juin	Juillet	Août	Septembre
1 Le Nouvel An	1	1	**1** Le 1er avril	**1** La fête du travail	1	1	1	1
2	**2** La Chandeleur	2	2	2	2	2	2	2
3	3	3	3	3	3	3	3	3
4	4	4	4	4	4	4	4	4
5	5	5	5	5	5	5	5	5
6 L'épiphanie	6	6	6	6	6	6	6	6
7	7	7	7	7	7	7	7	7
8	8	8	**8** 8 mai	8	8	8	8	8
9	9	9	9	9	9	9	9	9
10	10	10	10	10	10	10	10	10
11	11	11	11	11	11	11	11	11
12	12	12	12	12	12	12	12	12
13	13	13	13	13	13	13	13	13
14	**14** La Saint Valentin	14	14	14	**14** 14 juillet	14	14	14
15	15	15	15	15	15	15	**15** L'Assomption	15
16	16	16	16	16	16	16	16	16
17	17	**17** La Saint Patrick	17	17	17	17	17	17
18	18	18	18	18	18	18	18	18
19	19	19	19	19	19	19	19	19
20	20	20	20	20	20	20	20	20
21	21	21	21	**21** La fête de la musique	21	21	21	21
22	22	22	22	22	22	22	22	22
23	23	23	23	23	23	23	23	23
24	24	24	24	**24** La Saint Jean	24	24	24	24
25	25	25	25	25	25	25	25	25
26	26	26	26	26	26	26	26	26
27	27	27	27	27	27	27	27	27
28	28	28	28	28	28	28	28	28
29	29	29	29	29	29	29	29	29
30		30	30	30	30	30	30	30
31		31		31		31	31	

Tu peux compléter ce calendrier avec tes fêtes à toi,
et avec celles qui changent de date chaque année (au crayon !)

Les fêtes qui changent de date chaque année :

Fêtes chrétiennes
- Entre le 22 mars et le 25 avril : Pâques.
- 40 jours avant Pâques, sans compter les dimanches :
  Mercredi des Cendres (début du Carême).
- La veille du Mercredi des Cendres : Mardi-Gras ou Carnaval.
- 40 jours après Pâques : Jeudi de l'Ascension.
- 50 jours après Pâques : Pentecôte.
- 10 jours après Pentecôte : Fête-Dieu.

Fêtes juives
Durant l'automne
- Roch Hachana, Nouvel An juif.
- 10 jours après Roch hachana : Yom Kippour,
  jour du Grand Pardon.
- 4 jours après le Yom Kippour : début de Soukkôth,
  Fête des Tentes, qui dure huit jours.

Fin novembre-début décembre
- Hannoukah, Fête des Lumières, qui dure huit jours.

Fêtes musulmanes
- Le mois de ramadan (il dure 29 ou 30 jours).
- Fin de ramadan : 'Aïd as-Saghir, la Petite Fête.
- 70 jours après 'Aïd as-Saghir : 'Aïd al-kabir, la Grande Fête.

Les autres fêtes
- Un dimanche fin mai ou début juin (en fonction de la date
  de Pentecôte) : Fête des Mères.
- Troisième dimanche de juin : Fête des Pères.
- Au cours du mois de janvier : le Nouvel An Chinois.

Mes fêtes à moi
- Mon anniversaire.
- Les anniversaires de ma famille et de mes amis.
- La fête de mon saint patron.
- La fête des personnes que je connais.

Les grandes fêtes d'une vie
- Ma communion.
- Ma bar-miztvah ou ma bath-miztvah.
- Le mariage.

Et ne pas oublier
- La fête de l'école.
- La fête de mon quartier, de mon village ou de ma ville.

Octobre	Novembre	Décembre
1	1 Toussaint	1
2	2 Fête des morts	2
3	3	3
4	4	4
5	5	5
6	6	6
7	7	7
8	8	8
9	9	9
10	10	10
11	11 11 novembre	11
12	12	12
13	13	13
14	14	14
15	15	15
16	16	16
17	17	17
18	18	18
19	19	19
20	20	20
21	21	21
22	22	22
23	23	23
24	24	24
25	25 Sainte Catherine	25 Noël
26	26	26
27	27	27
28	28	28
29	29	29
30	30	30 La Saint
Halloween		31 Sylvestre

INDEX

Les fêtes auxquelles ce livre consacre des chapitres sont indiquées en vert.

INDEX DES JOURS DE FÊTE

Les fêtes qui ne tombent pas à dates fixes sont indiquées en orange. *Les fêtes musulmanes (p. 98-99) ne sont pas mentionnées dans cet index, parce qu'elles peuvent être célébrées à tout moment de l'année.*

Table des matières

Les auteurs

Sylvain et Anne sont frère et sœur. Ils sont nés en Alsace, et là-bas, on fait souvent la fête. Tout petits déjà, ils adoraient ça. Depuis son premier anniversaire, sa première communion, sa première boum, Sylvain a bien grandi. Maintenant, il est journaliste, à Paris. Il écrit vite, très vite, pour les enfants, pour les jeunes, et même pour les adultes. Mais il n'oublie jamais son violon pour mettre de l'ambiance lors des fêtes de famille.

Sa petite sœur a préféré rester en Alsace, sans doute parce que les pâtisseries y sont bonnes. Elle parcourt les écoles primaires de sa région pour conseiller les enseignants et leurs élèves. En faisant son travail, elle s'est rendu compte qu'à l'école, on parle souvent des fêtes : Halloween, vacances de Noël, Fête des Mères, crêpes, poèmes, masques, déguisements, et leçons d'histoire sur le 8 Mai… l'année scolaire tourne autour des fêtes !

Elle a discuté avec les enfants, elle leur a posé des questions sur leurs fêtes préférées, puis elle en a parlé à son frère.

Ensemble, ils ont eu l'idée d'écrire ce livre.